Le petit mercure

Collection animée par Colline Faure-Poirée

Le goût de Prague

Textes réunis et présentés
par Gérard-Georges Lemaire

Préface de Patrizia Runfola

Mercure de France

ISBN 2-7152-2394-3

SOMMAIRE

PRAGUE À L'HEURE DU POÉTISME

LA PRAGUE DE LA DÉSILLUSION

Les métamorphoses de Prague

Franz Kafka, dans une lettre à son ami Oscar Pollak (20 décembre 1902), rappelle quelles ont été les origines mythiques de Prague, qui s'expliquent par son étymologie : « Le nom de Prague lui-même, "Praha", au féminin, évoque toujours, par quelque étymologie qu'on l'explique, la question de l'origine : les érudits entendent dans "praha" "lieu désolé, desséché", et tel était, selon les reconstitutions, le site où s'élève actuellement le château : la toponymie porte donc les signes de la difficile histoire de la civilisation ; la science populaire, elle, préfère rapprocher "praha" de "prah", le seuil où elle reconnaît la position première d'une ville écartelée entre l'Orient et l'Occident, l'antique et le moderne, l'or des mythes et la grisaille du réel. » Et l'écrivain ajoute : « Quoi qu'il en soit, Prague porte l'hérédité de la prêtresse légendaire en devenant, comme il avait été présagé, "ville d'or", "ville aux cent tours", et plus tard "mère des villes" ou tout simplement "la petite mère". » Mais ce qu'il tient à faire observer à son camarade, c'est qu'une fois que Prague vous tient, il n'est plus possible d'échapper à son emprise : « Prague ne nous lâchera pas. [...] Cette petite mère a des griffes. Il faudra se soumettre ou bien... »

Prague conserve aujourd'hui tout son charme, au sens propre comme au sens figuré. Et son histoire a pris l'allure d'une fiction pure où toutes ses beautés baroques n'ont de vérité qu'en contrepoint aux récits de Jaroslav Hasek dans ses bouges de la banlieue et aux reportages de Milena Jesenska dans ses taudis sordides.

1. Prague de la légende

C'est la Prague d'or des *Récits* d'Alois Jirasek, la Prague des temps glorieux et dramatiques de l'histoire. La Prague de Cech, l'ancêtre du peuple tchèque, du roi Svalopluk et de saint Venceslas, du prince Buncvik et du roi Charles IV, de Rodolphe II, des alchimistes et du Rabin Lowe. Une Prague narrée par Leo Perutz dans son livre *La Nuit sous le pont de pierre* : comment brilla et s'éteint l'étoile de Wallenstein, comment l'empereur se consuma de mélancolie, comment Kepler s'occupa d'étoiles et d'horoscopes. Et aussi la Prague des fables de Frantisek Langer, les *Légendes pragoises*, qui racontent comment, dans un temps reculé, les premiers habitants de Kampa s'employèrent à prendre soin des statues du pont Charles, et comment les statues les récompensèrent, et qui racontent encore l'histoire des vodnik pragois, ces petits hommes des eaux, fruits de la fantaisie du folklore bohémien.

2. Prague des souvenirs

C'est la Prague de l'enfance de Hermann Grabb dans son roman *Le Parc*. Dans une Prague jamais nommée, où l'on emprunte des raccourcis, traversée de rues et de places aux façades austères, le parc communal revit dans les yeux d'un garçon sensible de douze ans. Ces jardins Vrchkicky se trouvent devant la gare centrale et délimitent le quartier où l'écrivain a passé son enfance, celui-là même où a vécu Franz Werfel et la majeure partie des juifs de Prague. L'écrivain se souvient dans son livre, écrit en 1932, mais évoquant les deux premières années de la Grande Guerre, les jeux des enfants et les conversations des bonnes d'enfant, campées au milieu de la nature mélancolique de la fin de l'automne et du début de l'hiver. C'est le jardin des réminiscences juvéniles de Franz Werfel. Il en immortalise la beauté nostalgique dans un poème, « Pragergartner », et dans un récit, *Petits amours*, où il se glisse dans le personnage du petit Hugo amoureux de sa bonne d'enfant tchèque. C'est la Prague de l'enfance de Franz Kafka, de la promenade éprouvante pour aller à l'école en passant par les ruelles lugubres de la Vieille-Ville, quand subsistait encore le quartier grouillant et malsain du vieux ghetto déjà en cours de démolition. C'est la Prague aimée et perdue que ressuscite Johannes Urzidil dans ses livres composés pendant les tristes années de l'exil aux États-Unis, *Le Triptyque de Prague* et *La Bien-aimée perdue*, où les souvenirs des incursions enfantines se mêlent aux visions de la vie littéraire pendant la Première Guerre mondiale et aux jours terribles de l'invasion allemande. C'est la Prague de l'enfance et de la jeunesse de Rainer Maria Rilke, admirablement évoquée dans ses récits pragois.

C'était aussi la Prague pauvre de la banlieue, celle de l'enfance de Jaroslav Seifert, dans le pâté de maisons, mal en point et désespérant de l'avenue Hus, dans le quartier de Zizkov. Jaroslav Hasek, au cours de ses interminables pèlerinages dans les brasseries, est souvent entré dans la taverne d'en face, qui s'appelle A l'Ange d'Or à cause du bas-relief doré représentant un ange grandeur nature placé au-dessus de l'entrée. Seifert se souvient du parfum des acacias qui florissaient à Zizkov le long de la voie ferrée, sous la pente, et vers le soir envahissait les balcons et les couloirs sombres, où flottait une désagréable odeur de brûlé. Et la Maison du peuple de la rue Hybernska, avec la salle de lecture où Seifert et Ivan Suk se réfugiaient pour devenir poètes le plus rapidement possible.

3. *Prague des pauvres*

C'est la Prague des poètes pauvres et des pauvres gens. La Prague des personnages remémorés par Milena Jesenska : le vendeur de pain d'épices dans le parc de Petrin, le corps déformé et la tête enfoncée dans les épaules, le panier rempli à ras bord de merveilles, de gâteaux et de pain d'épices exquis, le mendiant qui vend des savarins au coin du Plaitz, l'employé courbé sur l'écritoire qui, depuis la fenêtre de son bureau souterrain, voit les pieds des passants défiler sur le pavé, le vieux valet de chambre devenu vendeur de journaux avec la livrée usée aux boutons dorés, qui traîne les pieds dans les salles de café, passant d'une table à l'autre en présentant les quotidiens du soir. C'est la Prague des vendeurs ambulants dépeints par Johannes Urzidil : « les vendeuses de radis ou d'amandes grillées, et celles qui, dans un panier à anse, offraient des harengs enroulés, des anchois et des oignons en conserve et même les hommes qui tenaient en équilibre sur la tête un plateau de fruits confits bien alignés sur des planches de bois ; les hommes de la loterie, ceux des baromètres d'amour, l'homme des ballons, l'écrivain public à la retraite, qui présentait le bonhomme toujours debout et les phoques à ressort ; toute une divertissante foire ambulante, qui tournait sans interruption d'un restaurant à l'autre. » C'est la Prague du mendiant aveugle Killian de la nouvelle d'Urzidil, confiné un peu au-dessus du niveau de l'eau, « dans cette vieille ruelle comparable à un canal qu'on appelait Petite Venise, où la Moldava entourait d'un mince bras l'île de Kampa ». C'est la Prague de Wiessenstein Karel, un vagabond qui partageait la vie des écrivains au Café Arco et qui fut immortalisé dans les pages d'Urzidil et de Werfel. Un héros insensé du néant qui suivit Franz Werfel et Willy Hass à Vienne avec la fonction incertaine et chaotique de serviteur personnel des poètes, car il reconnaissait à eux seuls un relatif pouvoir sur sa personne. « Lève-toi, Wiessenstein. J'ai besoin d'inspiration. Nous devons aller nous promener », lui ordonnait Paul Adler à quatre heures du matin.

4. Prague tchèque et allemande

C'est la Prague de la promenade allemande du Graben, aujourd'hui Na Prikopé. Après la place Venceslas, l'avenue devient la Narodni, l'avenue Nationale, alors la promenade des Tchèques, qui va jusqu'au bord de la rivière où se dresse le théâtre National, orgueil des Slaves et contrepoids au théâtre Tyl, où a eu lieu la première représentation de *Don Giovanni* de Mozart. Le Café Slavia, où se réunissent les hommes de lettres tchèques, se trouve juste en face du théâtre. L'université allemande se trouve devant l'université tchèque, avec leurs cercles et leurs associations. Les étudiants ne se fré-

quentent pas. Chacun porte ses signes de reconnais-
sance : les écharpes des Allemands et les casquettes de
fourrure des Tchèques.

La bourgeoisie juive la plus aisée est généralement de
langue allemande, alors que ses membres les moins for-
tunés appartiennent au microcosme tchèque. Il y a des
sionistes et de rares fanatiques *hassid,* comme Jiri Langer, personnage extravagant, poète et essayiste très cul-
tivé, grand connaisseur des traditions hébraïques, dont
le frère, Frantisek Langer, est un ami intime de Kafka.

Les intellectuels allemands se rencontrent volontiers
dans les cafés, alors que les brasseries accueillent la
bande bruyante des compagnons éméchés de Jaroslav
Hasek, *condottiero* des vagabonds farceurs qui hantent
les établissements populaires. La brasserie Au Tigre
d'Or, fréquentée par Bohumil Hrabal, est un témoi-
gnage encore actuel de cette vie agitée. La vie nocturne
pragoise a été décrite dans ses aspects les moins suaves
par le « reporter furieux », Egon Ewin Kisch, chroniqueur acharné de la vie dans les tavernes et les misé-
rables refuges pour déshérités qui ont servi de décor aux
pages des écrivains allemands du début du siècle.

5. *Prague des poètes*

C'est la Prague des poètes de l'avant-garde tchèque,
qui revendiquaient la paternité de Guillaume Apollinaire. En 1902, le poète avait visité la ville. Il en avait
laissé une trace dans le poème « Zone » et dans la nouvelle « Le Passant de Prague », où le poète-pèlerin et le
juif errant Isaac Laquedem traversent Prague, de la
Vieille-Ville au Château, visitant la cathédrale où ils
pénètrent dans la chapelle consacrée à saint Venceslas :

Apollinaire s'imagina d'y voir, sur les murs constellés d'agates, d'améthystes, de jaspes, son profil tourmenté : « J'étais pâle et malheureux de m'être vu fou, moi qui crains tant de le devenir. » Des années plus tard, Jules Romain, Tristan Tzara et Paul Eluard défilèrent en un cortège silencieux devant le précieux mur en scrutant les joyaux qu'avait décrits le poète…

Sur les pas de Guillaume Apollinaire, les poètes de l'avant-garde pragoise découvrirent la poésie de leur ville : « Je ne pourrais assez dire avec assez de ferveur à quel point ce fut lui, comme ses yeux ont été voilés de façon chimérique, à m'enseigner à regarder autrement, de manière nouvelle toutes les choses pragoises, qui jusqu'à peu de temps auparavant étaient exclusivement un argument des petites romances vieille Prague », affirme Vitezslav Nezval. Tout ce qui a pu concerner le poète français a été l'objet d'une vénération de la part des poètes pragois, tout ce qu'il a vécu, aimé, de la peinture de Henri Rousseau à sa collection de pipes. Les influences apollinairiennes sont présentes dans de nombreuses pages pragoises. « Ils parlent tous la langue d'Apollinaire », a pu s'exclamer Blaise Cendrars. L'écrivain Karel Capek, l'auteur des *Météores* et de *La Fabrique de l'absolu* et ses amis peintres du groupe des Obstinés (Turdosijni) vénéraient le dieu Apollinaire : son frère, le peintre Josef Capek, Jan Zrzavy, Rudolf Kremlicka, Vaclav Spala, Otakar Marvanek, Alfred Justiz. Et les poètes prolétariens de l'association Devetsil, dirigée par le théoricien et peintre Karel Teige, l'adoraient eux aussi. Et Vitezslav Nezval l'a aimé de manière particulière, peut-être parce qu'il cultivait une même humeur capricieuse, une même nature de bon vivant, de fantaisiste et la même corpulence caricaturée par Adolf Hoffmeister dans les collages de la suite intitulée *Nezvaliada*. En 1922, Nezval reprend dans son poème « Podivyhodny kouzelnik » le thème de *L'Enchanteur pourrissant* ; deux ans plus tard il a utilisé comme point de départ pour une comédie, *La Dépêche avec des roues*, le prologue des *Mamelles de Tiresias*, traduit en tchèque par Jaroslav Seifert ; et en 1938, il écrit un récit poétique, *Le Passant de Prague*, inspiré par la nouvelle homonyme d'Apollinaire. Ici, c'est Nezval le pèlerin dans sa Prague, émouvante et vibrante dans sa beauté resplendissante et délicatement mélancolique dans les implications de son existence simple et légère, dans les tavernes pouilleuses et dans les boutiques avec leurs humbles marchandises, comme la boule de verre admirée par André Breton dans une teinturerie de Malá Strana.

6. *Prague noire*

C'est la Prague ténébreuse de Gustav Meyrink. Le quartier du Château, le Nouveau Monde, pleins de présences mélancoliques et cruelles et de « ces originaux, si nombreux dans le Hradschin, qui menaient une vie oisive, renfermés dans leurs coquilles et sans contacts humains, insouciants du passage du temps ». Dans *La Nuit de Walpurgis*, la Daliborka, la tour des tortures, se trouve l'effroyable monstre qui se nourrit de la chair et du sang des condamnés à l'obscurité, comme une bête féroce dans la nuit. Dans l'église de Saint-Guy, entre les statues dorées des saints, même l'amour semble une force impitoyable et inactuelle qui emporte comme un tourbillon diabolique Ottakar et Polixène. Le vieux ghetto avant son assainissement resurgit dans les pages du Golem dans tout son symbolisme néfaste et menaçant, qui mêle mort et magie. Le pantin d'argile aux yeux bridés asiatiques créé par Meyrink prend l'aspect d'un spectre malin, né dans l'imaginaire du peuple juif persécuté, prolongement fantastique de la vie perfide et hostile de l'ancien Cinquième Quartier. Une épidémie spirituelle galvanise le vieux ghetto et s'empare des êtres vivants et les terrorise, les bouleversant avec les ombres d'une obscure psychose. Sous la plume de Meyrink, qui cultivait les sciences occultes sous toutes leurs formes – expériences spirituelles et télépathiques, pratiques magiques et transmutations alchimiques, perceptions paranormales produites par des poisons ou des hallucinogènes et des visions extralucides –, même un simple orage devient un présage sinistre : « Les averses balayaient les toits et l'eau coulait le long des visages des maisons comme des cascades de larmes. » Les vitres paraissaient être devenues « molles, opaques et bosselées comme de la colle de poisson ». Et quand la neige tombait, ses flocons tournaient dans les airs comme « des soubresauts de fureur », investis de nouvelles hordes ennemies, et tout se rompt dans une mêlée furieuse.

Sinistre donc et menaçante est la Prague du roman *De l'autre côté* écrit et illustré par Alfred Kubin, une personnalité auréolée de noir, enclin à une sensibilité malsaine, aux manifestations les plus brumeuses de la violence et à une existence infernale, constellée de deuils et de malheurs, marquée par l'instabilité nerveuse. Dans le livre de Kubin, le décor de l'ancienne Prague du ghetto revit dans une ville allemande imaginaire de la fin du XIXe siècle, transportée par la volonté d'un mage en un lieu imprécis de l'Inde. Perle-Prague est la capitale du rêve, dépeinte avec des teintes embrumées et lugubres, opprimée par un petit homme doué de facultés magiques et hypnotiques, qui porte le nom d'un garçon du Café Union de Prague, Patera, un ami des hommes de lettres et des artistes.

7. *Prague moderniste*

C'est la Prague des innovateurs de la première décennie du XXe siècle, soucieuse de s'émanciper de l'influence autrichienne et d'affirmer une culture nationale tchèque. Avec les fondateurs de l'École de Prague, les Osma (les Huit), naît l'âge d'or de l'avant-garde tchèque, qui culmine avec l'association du Devetsil et avec le surréalisme littéraire. C'est la Prague qui regarde l'Europe, en particulier la France. Artistes, romanciers, poètes visitent Paris. Les frères Capek rencontrent Apollinaire et se passionnent pour le primitivisme. Le sculpteur Otto Gutfreund travaille un temps au sein de l'atelier de Bourdelle. Le cubisme français a bientôt un équivalent tchèque qui intrigue le marchand Kanhweiler : si la guerre n'était pas survenue, les artistes tchèques auraient peut-être connu un destin meilleur et une plus grande renommée. Les œuvres de Bohumil Kubista, d'Otto Gutfreund, de Josef Capek et de leurs amis peintres, sculpteurs, architectes se trouvent désormais au musée d'Art moderne ou au musée d'Art tchèque de Prague.

Les formes biseautées des tableaux cubistes se traduisent dans les façades dessinées par Pavel Janak, Vatislav Hofman, Otakar Novotny, Antonín Prochazka. On voit s'élever dans la ville les extraordinaires édifices cubistes qui « mettent en mouvement la matière » selon les indications de Braque et de Picasso. La Maison diamant dans la rue Spalena, réalisée par Matej Blecha, la maison de Josef Chochol à Vysherad, la Maison de la Vierge Noire sur la Celetna, celle de Josef Gocar, sont cubistes jusque dans les détails selon les principes des Ateliers Artistiques Pragois, créés sur le modèle de la Wiener Werkstatte pour traduire dans le style cubiste tous les détails de l'ameublement et des objets domestiques. La Grande Guerre dissipe les rêves effrontés des cubistes. Ils resurgissent néanmoins avec l'avant-garde rationaliste de Jiramir Kreikar, Ludvik Kysela, Jirí Kroha, Ladislav Zak, auteurs de constructions inspirées par Le Corbusier, mais aussi par Gropius et Mies van der Rohe. C'est la Prague puriste des années vingt, de l'Olympic de Kerjkar, du grand magasin Lindt et du palais de l'Alfa de Ludvik Kysela, de la villa projetée par Evzen Linhard.

Patrizia RUNFOLA
traduit de l'italien
par Gérard-Georges Lemaire
in *Métamorphoses de Prague*
Gérard-Georges Lemaire,
Éric Koehler Éditeur/Musée
du Montparnasse, Paris, 2002

Le roman d'une ville inconnue

Le mythe de Prague survit, malgré la phase glaciaire de la terrible et interminable ère communiste. Mais il s'est encore plus teinté de noir, et à sa mélancolie intrinsèque de la Prague de Rodolphe II, de l'ancien ghetto hanté par le Golem, des rues silencieuses et pleines d'ombres où vivent les héros de Jan Neruda, des escaliers cachés qui mènent du Hrachdin à Malá Strana en composant une géographie secrète s'ajoutent l'amertume et la nostalgie qu'on pressent dans les romans de Milan Kundera, où ne subsiste plus en filigrane que la silhouette noire des chars russes qui passent les ponts de la Vltava et qui stationnent place Venceslas. Dans *Le Livre du rire et de l'oubli*, Kundera se remémore les heures pesantes où son pays s'est retrouvé du mauvais côté du rideau de fer : « *Les spectres des monuments renversés erraient autour de l'estrade et le Président de l'oubli était à la tribune avec un fichu rouge autour du cou. Les enfants applaudissaient et criaient son nom*[1]. »

Les fortes odeurs de saumure qu'Albert Camus a rapportées de son voyage, Olivier Poivre d'Arvor en fait la véritable dimension sensorielle, le signe particulier de la ville qui est désormais, sous le coup d'un terrible maléfice, kafkaïenne au sens fort du terme :

« *Prague pue, nous le savons tous, mais nous n'osons*

1. *Le Livre du rire et de l'oubli*, Milan Kundera, traduit du tchèque par François Kérel, Gallimard, 1979, p. 215.

*pas nous l'avouer, se persuada ce jour-là Zdenek [...]
Capitale des odeurs nauséabondes, Prague offrait à ses
familiers sa puanteur comme une femme donne sa vertu
à l'être aimé. Elle l'offrait curieusement plus volontiers
en hiver, à travers ses brumes et ses brouillards légen-
daires, se distinguant ainsi des villes italiennes qui ne
gagnaient jamais à être surchauffées. L'été, le vent un
peu tiède venu des montagnes chassait ces pestilences
industrielles et installait dans l'air de la cité vlatvine le
doux parfum des familles, des blés brûlés, des fruits
cueillis à l'arbre et des rôtis du dimanche[1]. »*

Et Sylvie Germain, qui y habite de longs mois, y puise
l'esprit d'une nostalgie éprouvante. Elle met en scène un
microcosme plongé dans une longue et amère torpeur :
*« La ville était revenue à son présent maussade, à sa rugo-
sité. La ville, dont on avait si souvent, si longtemps,
assombri la splendeur et la gloire, à laquelle on volait
depuis des décennies la liberté et la fierté, retombait dans
sa torpeur[2]. »* Et elle ne rêve pas moins la posséder toute,
dans son extrême contradiction, dans un rêve abolissant
le temps et l'espace et rendant la réalité au rêve, qui prend
la forme allégorique d'une géante :

*« Le soir elle apparut comme jamais elle ne s'était mon-
trée. Elle se tenait assise au flanc de la colline de Vyserad.
Sa taille et son volume n'étaient pas seulement ceux d'une
géante, mais d'un colosse démesuré. Colosse étrange dont
la silhouette était diaphane et qui semblait sans force. Son
corps avait la translucidité du verre, ou d'une pierre de*

---

1. *Les Petites Antilles de Prague*, Olivier Poivre d'Arvor, Jean-Claude
Lattès, 1994, pp. 15-16.
2. *La Pleurante des rues de Prague*, Sylvie Germain, « L'un et l'autre »,
Gallimard, 1992, p. 61.

lave. Les lueurs et les ombres du soir la traversaient. Elle se tenait assise, les mains posées sur ses lourds genoux écartés ainsi qu'une paysanne prenant un instant de repos sur un talus au bord d'une pierre de lave. La ville dont les lumières s'allumaient, s'étendait à ses pieds[1]. »

La cité commence son déclin après la disparition de la Prague des « trois ghettos » (Max Brod), laissant place alors à la Prague moderne du poétisme, de Devetsil, de Karel Teige, de Viteszlav Nezval et de Jaroslav Siefert, jusqu'au jour où, à Munich, quatre nations rayent d'un trait de plume la jeune République tchécoslovaque de la carte de l'Europe :

« Les événements tragiques de la politique et de l'histoire qui suivirent engloutirent pour toujours ce monde. Cependant, ceux qui, parmi les exilés, survécurent, entonnèrent au loin le chant léger des souvenirs. D'autres ne purent le faire. Josef Capek disparut dans un camp d'extermination, comme Paul Kornfeld et Milena Jesenská. Karel Capek partit en catimini le jour de Noël 1938, laissant inachevée sa très belle nouvelle La Vie et *l'œuvre du compositeur Foltýn. Hugo Salus et Gustav Meyrink s'en allèrent de leur plein gré. Oskar Baum mourut à Prague, occupée par les nazis, dans un hôpital juif à la suite d'une maladie gastrique. Ernst Weiss se suicida dans un hôtel sordide de Paris, le 15 juin 1939 [...] Certains, comme Max Brod et Felix Weltsch, fuirent en Palestine ; le poète Jirí Langer, l'étrange hassid [...] emprunta la même route. [...] Son frère, Frantisek Langer, auteur de nombreuses nouvelles en plus de ses célèbres* Légendes pragoises, *lui survécut et raconta la vie de l'ami de Kafka, son frère en poésie. D'autres,*

1. *Idem*, p. 59.

comme Franz Werfel et Johannes Urzidil, émigrèrent aux États-Unis. Ils y vécurent tenaillés par la nostalgie de la Prague de ces années révolues...[1] »

Prague au lendemain de la guerre, Prague d'après le coup de force communiste, Prague au cœur du Pacte de Varsovie, n'est plus que l'ombre d'elle-même. Et les écrivains qui y naissent alors ou qui y survivent tant bien que mal, d'Ivan Klíma à Milan Kundera en passant par le truculent Bohumil Hrabal en ont une vision désenchantée, grotesque et pathétique.

En 1980, Kundera fait le bilan de la situation de Prague au sein du glacis soviétique, comme si cette capitale était victime d'une ultime et définitive malédiction :

« Prague, ce centre dramatique et douloureux du destin occidental, s'éloigne lentement dans les brumes de l'Europe de l'Est à laquelle elle n'a jamais appartenu. Elle, première ville universitaire à l'est du Rhin, scène au XVe siècle de la première grande révolution européenne, berceau de la Réforme, ville qui a fait éclater la guerre de Trente Ans, capitale du baroque et de ses folies, elle qui, en 1968, a vainement essayé d'occidentaliser le socialisme importé du froid. L'image de l'Atlantide me vient à l'esprit[2]. »

La Prague d'aujourd'hui, celle d'après la Révolution de velours, reste encore à imaginer.

Paris, novembre 2002
Gérard-Georges LEMAIRE

1. *Prague au temps de Kafka*, Patrizia Runfola, traduit et présenté par Gérard-Georges Lemaire, Éditions de la Différence, Paris, 2002, p. 268-269.
2. « Prague poème qui disparaît », Milan Kundera, *Le Débat*, n° 2, juin 1980, p. 49.

PRAGUE TELLE QU'EN SA RÉALITÉ ET SES LÉGENDES

MÍLOS JIRÁNEK

Prague la belle

Né en 1875 à Luizec nad Vlatvou, Mílos Jiránek se rend à Prague pour étudier à l'Académie des Beaux-Arts en 1894, où il étudie aussi l'histoire de l'art, la philosophie et la littérature. Grand voyageur, à partir de 1900 il parcourt l'Europe : Venise, Trieste, Paris, la Suisse, la Moravie, etc. Directeur de 1905 à 1910 de la prestigieuse revue d'art Volné smery *(« Tendance libre »), il a écrit des monographies sur de nombreux artistes, en particulier sur Rodin, Whistler, Goya, Van Gogh. L'essentiel de son œuvre est réuni dans* Impressions et flâneries, *publié en 1908. Il meurt prématurément en 1911.*

[...] Il est des soirs où l'or du soleil couchant transforme Prague, notre Prague sale, triste, tragique, en une fabuleuse beauté blonde, en un prodige unique de lumière et de clarté. Le déclin du jour nous trouve assis au restaurant *Na Nebozizku,* dos à la colline de Petřin, isolés du reste du monde ; nous sommes comblés par le spectacle, enchantés par ce tableau sur lequel retombent en larges éventails des feuilles de châtaigniers. La surface paisible de la Vltava, retenue par ses digues, scintille tout en bas. Sur le pont Charles, le velours brun des vieilles pierres se couvre de roses et de soie orangée. De l'autre côté de la rivière s'élèvent la tour du pont et l'église du Týn, ostensoirs dressés au-dessus d'une mul-

titude de toits et de pierres qui jouent avec la lumière,
aussi légères et limpides que des fleurs des champs. À
gauche, au premier plan, s'étage le quartier de Malá
Strana, dominé par une ample couronne – le Château et
la cathédrale Saint-Guy. Et à flanc de coteau, dans la
douce pénombre, brille une émeraude admirablement
sertie, la plus pure qui soit au monde : la coupole de
Saint-Nicolas.

Je ne connais pas de paysage qui parlerait à l'âme plus
riche langue. Il arrive que nous soyons émus par les
beautés formelles d'un pays, ou encore par une atmosphère, un éclairage. Chaque paysage se pare d'un certain charme à la première éclosion du printemps ; les
mers, les forêts, la solitude des montagnes, produisent
sur nous une sensation immanente, indépendante de
l'alternance des saisons. Le charme de la grande ville,
tout aussi immuable, s'avère cependant plus complexe.
Que Prague s'épanouisse parmi les fleurs du printemps,
ou dans la verdure de l'été, ce sont toujours ses toits
innombrables, de Žižkov à Petřin, et le sentiment de
l'énergie vitale contenue sous ces toits qui nous éblouis-
sent le plus. L'impression produite par une ville est
d'autant plus grisante que celle-ci est grande et sa vie
intense. Paris est un centre spirituel sans égal
aujourd'hui ; et à Venise, les pierres serrées les unes
contre les autres, sans le moindre petit interstice ni la
moindre trace de verdure, crient l'énergie fanatique de
ceux qui les ont posées. Or ni l'une, ni l'autre de ces
villes ne m'impressionna aussi fortement, aussi profondément que Prague. Ici, je comprends mieux qu'à Venise
le langage du passé, et je sens le présent plus intimement
qu'à Paris : ici, le cœur du pays bat sous mes pieds. Les

pierres de Prague parlent, on le dit depuis longtemps. Mais si, lors d'une promenade, Prague ne nous était que dates et faits attestés, sortes de cartes postales historiques – Plachý et les étudiants sous la tour du pont, 1621 sur la place de la Vieille-Ville… –, ce serait bien peu. Car les pierres de Prague savent aussi une langue plus intime ; elles parlent de l'énergie, de la force vitale et de l'esprit créateur de bâtisseurs anonymes, de ce peuple que les manuels d'histoire négligent tant d'ordinaire, ce peuple qui a pourtant accompli tout cela, et dont nous sommes tous issus. Bien des endroits vous permettront d'en prendre la mesure. Par exemple, lors d'une promenade sur la Vltava en été, c'est au moment où votre barque passera sous les arches du pont Charles que vous percevrez le mieux la grandeur des hommes qui érigèrent ces piliers massifs et cintrèrent ces voûtes au XIVe siècle. Et pour apprécier le nombre d'artistes anonymes qui ont travaillé à l'édification de Saint-Guy, il vous faudra monter tout en haut, sur le toit, jusqu'aux chéneaux larges comme des trottoirs, sous les arcs de piliers de soutènement de la partie ancienne, là où il n'est pas deux rosaces identiques, là où chaque ogive, chaque pilier est décoré d'un ornement sculpté qui vous échappe tout à fait, vu d'en bas ; ces hauteurs recèlent encore toute une collection oubliée d'ouvrages de pierre des XVe et XVIe siècles – gargouilles, petites statues et motifs grimaçants. Quelle armée d'ouvriers créatifs sous les ordres du bâtisseur médiéval ! Que de liberté et d'initiative leur furent laissées dans l'élaboration des détails ! Et si, après le Château, vous vous rendez à l'église de Karlov et observez sa voûte magnifique, vous n'aurez pas à vous remémorer la légende de son architecte, à vous identifier au drame intérieur de ce rêveur, mathématicien et fanatique, qui sacrifia sa vie pour mener à bien son expérience et finit désespéré avant même d'échouer. Nul n'est besoin de vous plonger dans l'histoire ou la littérature, il suffit de regarder la voûte au-dessus de votre tête pour comprendre que son auteur ne s'est pas contenté de reproduire ici, docilement, ce qu'il avait vu ailleurs, mais qu'il est parvenu à créer une œuvre originale. En somme, il y eut parmi nous des hommes et des artistes à part entière, la tête pleine de rêves n'appartenant qu'à eux. [...]

Nouvelles pragoises,
traduit par Véronique Badois-Martin,
édition établie et présentée par Catherine Servant,
© L'esprit des Péninsules, 1999

Au début du XXᵉ siècle, Prague est déjà un sujet littéraire et pictural privilégié. Deux peintres sont alors parvenus à en restituer son charme incomparable : Antonín Slavicek (1870-1910), dans ses scènes de rue hivernales et encore plus dans ses vastes panoramas de la ville, et Jakub Schikaneder (1886-1887), qui a une prédilection pour le mystère et la prégnance de ses crépuscules ou de ses nuits noires sous la neige qu'éclaire à peine un réverbère ou une fenêtre. Prague est revêtue d'une aura d'irréalité, douce et fantastique à la fois. Mílos Jiránek est lui aussi fasciné par cette beauté singulière.

Le pont Charles

*Né en 1888, Frantisek Langer, d'abord médecin militaire, finit
sa carrière comme général. Son frère cadet Georg [Jirí] étudie
la cabale et la psychanalyse, compose des poèmes en hébreu,
écrit un livre sur le hassidisme,* Les Neuf portes, *et enseigne
l'hébreu à Kafka dont il est l'ami. Frantisek Langer se passionne
pour les anciennes légendes de Prague et rédige ses* Prazké len-
gendy *(« Légendes pragoises »), publiées en 1952. Il a composé
également des pièces pour le théâtre. Ami intime de Jaroslav
Hasek, il est frappé par cette « tendance qu'ont les gens de
Bohême à inventer des ballades attribuant aux grands humo-
ristes pragois les destinées les plus tristes ». Il disparaît en 1965.*

Du côté de Malá Strana, le pont Charles, au début, se
dresse seulement au-dessus de la berge, mais déjà sa
troisième arcade dépasse le canal de la Certovka. Entre
le canal et le cours proprement dit de la Vltava, il y a
l'île de Kampa. Au-dessus d'elle se trouve une véritable
petite ville qui s'est placée au plein centre de Prague et
n'est réunie à la cité que par le pont et par quelques pas-
serelles. Elle possède ses petites maisons, ses prairies, ses
arbres et ses jardins, sa petite place avec ses célèbres
marchés aux puces, son morceau de pont construit par
le Père de la patrie[1], une bonne partie de la surface de

1. Le Père de la patrie qui a construit le pont Charles – à la place
du pont de Judith dont il ne reste que des vestiges – est l'empereur

la Vltava – pendant les inondations même assez désagréablement abondantes – et, sous la surface, son vodník indigène, monsieur Joseph.

Monsieur Joseph habitait sous la quatrième arche du pont Charles et cette noble résidence lui procurait une telle considération au point d'être le chef reconnu de tous les vodník du royaume de Bohême. Il est certain aussi que, quelque part ici, dans les temps anciens, les vodník de toutes les eaux bohémiennes parlementaient, débattaient, selon les usages de l'époque, et Joseph présidait leurs assemblées et aplanissait leurs divergences comme, non loin de là, le faisait le régent dans la salle des réunions du royaume de Bohême, à cette différence près que monsieur Joseph était plus vieux que toutes les institutions des terres bohémiennes. Il résidait dans ces lieux déjà bien longtemps avant le pont, quand la Vltava n'était traversée que par un simple gué de la rue du Pont (Mostecká ulice) jusqu'aux marais de la Vieille-Ville où, immédiatement après les marais, commençait la forêt vierge qui s'étendait en direction de Vinohrady. Ici des foules de sauvages de toutes sortes traversèrent le fleuve, vêtus de peaux de bêtes et avec des armes de pierre, plus tard ce ne furent plus que des semi-sauvages avec des armes de bronze et, à la fin, le peuple tchèque, qui n'était plus sauvage et qui était paisible, qui brûla et défricha des pans de forêt le long de la rive pour fonder le village de Prague.

Charles IV. Les événements historiques auxquels il est fait référence dans le récit sont les guerres hussites (1419-1434), la révolte contre les Souabes pendant la guerre de Trente Ans (1618-1648) et l'insurrection contre l'Autriche de 1848. La Certovka (canal du Diable) est le bras de la Vltava qui entoure la petite île de Kampa.

Ainsi le seigneur Joseph, sous le gué, pouvait tranquillement recueillir les âmes de ceux que le courant emportait dans les fosses de ses fonds. Et quand Charles IV lui construisit au-dessus de la tête le solide pont de pierre, il n'eut pas le moindre motif de se lamenter. Déjà pendant la construction, de nombreuses personnes perdirent leur âme qui, à cette époque, valait vraiment peu, et quand le pont fut enfin achevé, une guerre passait dessus de temps à autre, en sorte que le pont, au lieu de réduire ses avantages, lui en apportait toujours de nouveaux. Il ne perdit encore rien quand, en plus du pont de pierre, d'autres furent élevés sur la Vltava. En effet, on devait payer sur tous les ponts de Prague une dîme pour le passage alors qu'on pouvait emprunter le pont Charles gratuitement. C'est pour cela que les pauvres gens, qui n'avaient pas le sou et justement pour ce motif voulaient mettre un terme à leurs souffrances terrestres et confier leur âme désespérée à la paix éternelle, choisissaient le pont Charles pour échapper à toutes les douleurs dans un des chaudrons de monsieur Joseph.

Ainsi, après tant d'années, sa demeure sous la quatrième arcade ne contenait pas seulement de grands trésors spirituels, mais racontait aussi, par l'entremise des âmes de noyés, toute l'histoire de Prague. Voulez-vous la préhistoire de la terre bohémienne ? Pas de problème, voici l'âme velue, grossière et toujours haletante de Boj qui traversa la Vltava quand la terre de Bohême était encore disgracieuse et déserte. Voici la première âme bohémienne, encore de la souche même de l'ancêtre Cech, mais déjà avec les signes d'une authentique âme bohémienne pour le fait que, bien que un peu, il parvint à s'adapter à la marmite où elle est enfermée. Ici vous avez les âmes colériques et impitoyables des deux factions qui participèrent à la guerre hussiste et ici encore les âmes des deux partis, les Souabes et les étudiants pragois, qui combattirent pour le pont Charles. Il y a encore ici quelques âmes de curieux et de sujets qui tombèrent dans l'eau lors du couronnement du roi Léopold alors qu'ils se précipitaient sur le pont pour voir le merveilleux cortège du roi étranger. Et ici voici quelques très belles âmes de 1848 qui défendirent la barricade de la Vieille-Ville et qui se sacrifièrent pour la terre natale et pour sa liberté. Ici vous voyez des âmes des derniers temps, décharnées et affamées, voyez qu'elles ont beaucoup augmenté car elles ont souffert de périodes difficiles pendant lesquelles elles ne savaient où aller sinon dans la Vltava.

« Le Vodník du pont Charles »,
extrait de *Légendes pragoises*,
traduit du tchèque par Sabine Ogariv
et Gérard-Georges Lemaire
© Éditions Albatros, Prague

Le pont Charles est le monument le plus emblématique de Prague. Construit en pierre – d'où son nom d'origine, « pont de pierre », car tous les autres étaient en bois – par le jeune architecte Petr Parlér à partir de 1357 sur l'ordre de l'empereur Charles IV, il fut achevé en 1402. D'une longueur de près de cinq cent vingt mètres, et d'une largeur de près de dix mètres. Les premières statues qui l'ornent sont du XVIIe siècle et représentent saint Jean Népomucène, une Pietà, saint Venceslas et un crucifix. Le siècle suivant, d'autres œuvres sont adjointes, dont plusieurs exécutées par Matyás Bernhard Braun. L'écrivain a dépeint un personnage fantastique qui vit sous ses piliers, le *vodník,* dont parle Ripellino : « Il y a dans le folklore bohémien un être qui mérite notre attention : le vodník, ou le petit homme des eaux, que le peuple désigne aussi des noms de hasrman et de bestram, déformations bouffonnes de l'allemand « Wassermann ». Cette créature vivant dans les fleuves, les tourbillons, les lacs, les étangs n'est pas inconnue dans les autres terres slaves, mais n'a nulle part autant de relief que dans les régions de la Bohême et de la Moravie. »

ALOIS JIRÁSEK

L'horloge de la Vieille-Ville

Né en 1851 dans la petite ville de Hronov, autrefois annexée à la Silésie prussienne par Frédéric II, Alois Jirásek est le fils d'un modeste boulanger. Il fait ses études primaires dans un collège en Allemagne puis fait ses humanités à Hradec Králové, alors foyer du mouvement patriotique et littéraire. Nommé professeur de lettres au collège de Litomysl, où il enseigne pendant quatorze ans, il est muté à Prague dans un lycée qui prendra plus tard son nom. Il interrompt prématurément sa carrière en 1909 pour se consacrer à son œuvre. En 1917, il joue un rôle clef et politique dans l'indépendance de son pays. Il écrit ses premiers poèmes en 1871 et achève son premier roman, La Famille de Skálak, *quatre ans plus tard. Auteur d'environ cinquante livres, dont beaucoup de contes et de légendes tchèques, il s'éteint en 1930.*

Citadins industrieux, artisans, vieilles femmes et jeunes hommes, étudiants enveloppés dans leurs manteaux longs, tous s'attroupaient au-dessous de la tour de la mairie, se haussaient sur la pointe des pieds, tendaient le cou en fixant avec des yeux écarquillés l'énorme cadran divisé en vingt-quatre parties, couvertes de lignes et de cercles d'or, de chiffres et de symboles étranges, et le disque en dessous, avec la représentation des douze constellations célestes, et les sculptures, le feuillage de marbre des bas-reliefs et surtout la figure de la Mort, du Grand Turc et de l'Avare avec la bourse d'argent posée dans la main. La clameur de tant de voix, la rumeur ininterrompue de la foule rappelaient le tumulte d'un torrent impétueux.

Mais tout le monde se tut soudain à l'instant précis où les coups d'une cloche commencèrent à résonner à la hauteur de la nouvelle horloge de la tour. On n'entendait que quelques exclamations ou de-ci et de-là une main se soulevait et désignait la figure de la Mort qui frappait la cloche. Quand, à la stupeur générale, deux petites portes s'ouvraient sous l'horloge et de l'une d'elle les douze apôtres sortaient un à un et, en se tournant vers la place, défilaient d'occident en orient, enfin suivis par l'image du Christ qui bénissait la foule.

Les assistants retiraient leur chapeau en faisant le signe de la croix. Quelqu'un montrait apeuré la Mort qui ouvrait et fermait la mâchoire et Judas l'Avare qui tournait sur lui-même : « Regardez, regardez le vieux, le voilà qui fait non de la tête ! On voit bien qu'il ne veut pas mourir : il supplie le squelette de ne pas sonner, d'attendre encore un peu. » Mais quand, plus haut, au-dessus des deux petites portes, apparut un coq qui lança un cocorico sonore, la foule s'anima, amusée, et se remit à bruire et à jacasser, avec un brouhaha pareil à celui de la chute d'un torrent, sans une seconde de silence.

Les gens ne parlaient que de l'auteur de ce chef-d'œuvre, un homme touché par une grâce divine particulière et doté d'un esprit supérieur, et tout le monde citait le nom d'un certain maître Hanus. Maîtres d'art, docteurs en philosophie et en sciences, en manteaux obscurs et longs, observaient l'horloge et en louaient le créateur. Malingres ou corpulents, mais toujours majes-

tueux et solennels, ils discutaient entre eux, en latin et
en tchèque, des cercles et des symboles peints sur le
cadran de l'horloge. Par contre, ils riaient du coq, des
figures de la Mort, du vieillard et des autres statuettes,
et quand la Mort faisait son tour alors que le coq chan-
tait, l'un d'eux expliqua avec morgue aux étudiants et
aux bacheliers que de tels jouets et mécanismes étaient
seulement destinés à divertir le petit peuple inculte.
À l'inverse, les hommes de sciences et surtout les astro-
nomes [...] appréciaient l'horloge même sans ces
amènes expédients, parce qu'elle illustrait le mouvement
du soleil d'ouest en est, indiquait sous quel signe zodia-
cal et à quel degré se trouvait le soleil tel jour et telle
année, et quand il se levait, à quelle heure il atteignait
le zénith, et où il se couchait, et quand il était haut à
l'ouest *supra orizontem,* dans quelle mesure il se rapprochait de la ligne de midi et puis à l'ouest, où il se
couchait et où il allait, la nuit, après le crépuscule *sub
orizonte ;* en outre, cette horloge démontrait que le soleil
s'éloignait de nous quand les journées raccourcissaient
pour ensuite se rapprocher quand arrivait la saison esti-
vale.

Récits et légendes de la Prague d'Or,
traduit du tchèque par Hana Vedra

JAN NERUDA

La messe de saint Venceslas

Né à Prague en juillet 1834 dans le quartier de Malá Strana,
Jan Neruda est issu d'un milieu modeste. Parallèlement à ses
études au collège allemand, il suit des cours de tchèque. Au
collège académique de la Vieille-Ville il rencontre Anna
Holinova, le grand amour malheureux de son existence. Un
temps enseignant, il se consacre ensuite au journalisme. En
1857, il publie son première recueil poétique. Il fonde la
revue Les Images de la vie *(1859-1860), puis* La Chronique
des familles *en 1863. Il collabore au* Narodni Listy *deux ans*
plus tard. Il voyage en Allemagne, en Hongrie, en Asie
Mineure, en Palestine, en Égypte, en Grèce, en Italie et visite
l'Exposition universelle de Paris en 1863. Il réunit ses
impressions de voyage dans plusieurs volumes, les Tableaux
de Paris *(1865),* les Tableaux de l'étranger *(1872), puis*
rédige les Petits voyages *(1877). Il écrit en outre cinq comé-*
dies, une tragédie, des recueils de poèmes et les merveilleux
Contes de Malá Strana *en 1878. Il meurt le 22 août 1891.*

[...] Oui, j'avais conçu le projet de passer la nuit dans
la cathédrale Saint-Guy. En secret, bien entendu. Mais
c'était un projet de la plus haute importance. Car nous
avions la certitude, nous autres les gamins, que chaque
jour saint Venceslas célébrait la messe dans sa chapelle
sur le coup de minuit. À vrai dire, c'est moi qui avais
répandu cette nouvelle parmi mes camarades, mais je la
tenais d'une bonne source tout à fait digne de foi. Havel

le bedeau, on l'appelait Havel Krocan à cause de son nez extraordinairement long et luisant, avait raconté cette histoire chez nous, chez mes parents, et tout en la racontant il me lançait d'étranges regards de biais, et j'avais aussitôt deviné qu'il ne voulait pas que je fusse moi aussi initié à ce secret. Je l'avais confié à mes deux meilleurs camarades, et nous avions résolu d'assister à cette messe de minuit. Saint Venceslas était notre héros. Mais comme j'étais le principal initié, j'avais évidemment la priorité et ce jour-là j'étais venu, le premier, m'asseoir dans le chœur, enfermé et coupé du reste du monde. [...]

Je me levai de la marche et me redressai lentement. Par le grand vitrail la lumière du jour pénétrait, déjà glauque et grise. On était à la fin novembre, après la Sainte-Catherine, et les journées étaient courtes. Rarement un bruit parvenait jusqu'à moi de l'extérieur, mais tous les bruits qui me parvenaient, je les distinguais clairement. Le soir, dans ces confins, le silence a quelque chose de sinistre. J'entendis un pas lourd. Il y eut une pause, et les pas se firent plus nombreux, deux hommes passaient à proximité et se parlaient d'une voix rude. Puis ce fut un grondement sourd au loin. Sans doute un lourd charroi qui franchissait la voûte du château. Le grondement devenait de plus en plus net, le charroi était sans doute arrivé sur le terre-plein. Mais le vacarme ne cessait de croître, il se rapprochait de plus en plus, les sabots claquaient, les lourdes chaînes tintaient, les grandes roues grinçaient, sans doute un charroi militaire qui passait par là pour gagner les casernes Saint-Georges. Le tumulte était si assourdissant qu'un vitrail trembla légèrement et en haut, à la hauteur de la tri-

bune, les moineaux pépièrent d'inquiétude. En les enten-
dant, je poussai un profond soupir. De savoir qu'il y
avait avec moi des êtres vivants, je me sentis plus calme.

D'ailleurs je ne puis dire que dans la solitude de la
cathédrale j'éprouvai de l'angoisse ou de la crainte.
J'avais sans doute conscience du caractère insolite de
mon entreprise, mais nullement d'une faute. Nulle idée
de péché n'oppressait, n'étreignait mon âme, au
contraire je me sentais exalté, enthousiaste. L'exaltation
religieuse semblait faire de moi un être à part, sublime,
jamais auparavant et, je dois l'avouer, jamais par la
suite, je ne me suis senti aussi parfait et aussi digne de
l'envie générale. J'aurais été plein d'admiration pour
moi si l'enfant était capable de la même vanité stupide
que l'adulte. Ailleurs et en un autre moment j'aurais
sans doute eu peur des fantômes, mais ici, dans la
cathédrale, les fantômes ne possédaient aucun pouvoir.
Et l'esprit des saints enterrés ici ? Ce jour-là je ne me
souciais que de saint Venceslas et que je fusse si coura-
geux uniquement pour le voir dans sa gloire et rendant
hommage à Dieu, notre Seigneur, ne pouvait que lui
causer une joie sincère. S'il le voulait, avec quel empres-
sement je lui servirais d'enfant de chœur, avec quelle
attention je lui tendrais le livre de messe à la reliure ferrée, et quel soin je prendrais de ne pas agiter la sonnette
une seule fois de plus qu'il ne le fallait ! Et j'aurais voulu
tirer en bas sur les courroies du positif et chanter, chanter si bien que saint Venceslas en aurait pleuré et qu'il
m'aurait posé les deux mains sur la tête en disant : –
Quel brave enfant tu fais !

[...] Alors, pour la première fois, j'éprouvai une sorte
d'angoisse qui me fit trembler. Je rentrai mon livre dans

ma gibecière, je m'approchai de l'autre rampe et regardai en bas dans la cathédrale. Tout me semblait plus triste qu'auparavant, plus triste en soi, indépendamment de l'obscurité. Je distinguais parfaitement les objets, je les aurais reconnus dans une obscurité beaucoup plus épaisse car ils m'étaient familiers. Mais sur les colonnes et sur les autels, enveloppant toute chose dans une même couleur ou dans une même absence de couleur, semblait pendre en de longues bannières la toile bleue de la Passion. Je me penchai par-dessus la rampe. À droite, au-dessous de l'oratoire du roi, brûlait une lampe ardente. Un mineur de pierre, célèbre cariatide suspendue dans l'espace et peinte aux couleurs de la vie, la tenait à la main. La lampe ardente se consumait aussi doucement que la plus paisible étoile dans le ciel, elle ne clignotait même pas. Je voyais en bas sous sa lumière le sol divisé en carreaux réguliers, et en face les stalles à l'éclat brun sombre, et sur l'autel le plus proche une bande d'or luisait faiblement sur le costume d'une statue de saint en bois et décorée. J'avais beau faire, je n'arrivais pas à me rappeler à quoi ce saint ressemblait à la lumière du jour. De nouveau mon regard se posa sur la cariatide. Le visage du mineur était éclairé par en bas, ses joues rebondies avaient l'air de boules sales, rouges, mal réussies. Je ne voyais pas ses yeux exorbités qui m'effrayaient, même en plein jour. Un peu plus loin le tombeau de saint Jean luisait dans l'ombre, mais je ne pouvais en distinguer que la teinte un peu plus claire. Et de nouveau mon regard se posa sur le mineur, et je crus qu'il tenait à dessein la tête légèrement en arrière, comme s'il riait d'un rire étouffé, et que le rouge de ses joues provenait de ce rire contenu. C'était peut-être vers moi qu'il louchait de la sorte, peut-être de moi qu'il riait. Alors j'eus peur. Je fermai les yeux et me mis à prier, aussitôt je me sentis mieux, et je levai vivement les yeux sur le mineur. La lampe ardente se consumait toujours, doucement. Sept heures sonnèrent à l'horloge de la tour. [...]

J'étais dans la tribune principale. Je m'avançais lentement, pas à pas, et j'arrivai sur le devant. Et voici qu'en ce lieu où nous nous aventurions toujours avec crainte, et où nous ne pouvions nous attarder sans éprouver une sorte d'émotion poétique, j'étais seul, tout à coup, seul, sans que personne puisse m'observer ou me surveiller. Là-haut, de chaque côté de l'orgue, il y a des sièges en gradins comme dans un cirque antique. Je m'assis sur la marche la plus basse, près des timbales. Qui pouvait m'empêcher, maintenant, de jouer de ces timbales, dont le charme nous en imposait tellement ? Je frôlai doucement la plus proche, comme si j'avais même redouté d'en soulever le duvet, puis je la touchai de nouveau du doigt, un peu plus fort cette fois, et j'entendis le bruit produit par ce deuxième contact, mais le son fut presque méconnaissable, et je renonçai à ce jeu. Il me semblait que je venais de blasphémer.

Les Contes de Malá Strana,
traduit du tchèque par François Kérel,
© Artia, Prague, 1963

Construite au sein de la cathédrale Saint-Guy par Petr Parlér, l'architecte du pont Charles, entre 1362 et 1367, elle remplace une vieille construction romane où avait été enseveli le saint martyr. Maintes fois redécorée au fil des siècles, elle contient des peintures murales exécutées au début du XVIᵉ siècle par le maître de Litomeríce représentant la vie du saint et la vie du Christ. Elle est ornementée de pierres semi-précieuses – jaspes, chrysoprases, calcédoines et améthystes –, mais aussi de pierres fines, qui fascinèrent Guillaume Apollinaire en 1902. De cette chapelle, un escalier donne accès au trésor royal par une porte à sept serrures : chacune des clefs est détenue par une institution différente. Les bijoux de la couronne tchèque y sont conservés depuis 1791. Cette porte demeure éternellement close.

LEO PERUTZ

Prague chrétienne et Prague juive

Leo Perutz n'a passé que sa petite enfance à Prague, où il est né en 1882. Son père, un riche industriel du textile, décide de quitter sa ville d'origine après l'incendie de sa manufacture pour s'installer à Vienne, en 1899. Après des études scientifiques, il travaille dans une compagnie d'assurances puis part pour le front russe où il est gravement blessé. Il se consacre alors à la littérature et publie, en 1915, Le Troisième projectile. *Cinq ans plus tard, il achève* Le Marquis de Bolibar, *puis* La Naissance de l'Antéchrist *(1921),* Turlupin *(1924),* Le Cosaque et le Rossignol *(1928) et l'une de ses fictions les plus célèbres,* Le Cavalier suédois *(1930), où il met en scène son goût du monstrueux et du fantasque. Adorno considère* Le Maître du jugement universel *comme un « roman génial de grande tension ». Il est loué par ses contemporains en Autriche. Hermann Broch discerne dans son œuvre une « logique du merveilleux ». Peu avant l'Anschluss, il part pour Tel Haviv, mais continue à écrire en allemand. Son dernier roman,* Le Judas de Léonard, *paraît de manière posthume en 1959.*

[...] Il y avait – et il existe encore aujourd'hui – des centaines de crucifix et de saints de pierre dans la ville de Prague ; ils se dressent sur les places, dans les niches et les coins sombres, souffrant, sermonnant le peuple ou lui donnant leur bénédiction ; ils se trouvent devant les portails des églises, aux portes des hospices, des asiles de pauvres, et sur le pont de pierre. Et à chaque fois que les Croates passaient devant une telle statue, ils tombaient à genoux, murmuraient des prières ou chantaient des litanies, et Collalto bénéficiait ainsi d'un court moment de répit. Au début, le baron Juranic prit la chose avec placidité, il savait qu'il ne fallait pas plaisanter avec ses Croates en matière de choses saintes. Mais ensuite, il fut de plus en plus contrarié de voir que ses serviteurs, par la candeur de leur piété, portaient secours à son ennemi, et il se mit à réfléchir pour trouver un moyen d'y remédier. Et tandis qu'il méditait de la sorte, il lui vint une idée qui lui sembla si démesurément divertissante qu'il éclata de rire. Oui, ce serait le dernier tour qu'il jouerait cette nuit-là à Collalto : il devrait danser sa sarabande dans les rues de la cité juive, car là-bas, il n'y avait ni crucifix ni statues de saints.

En ces temps-là, la cité juive de Prague n'était pas encore entourée de son mur, qui ne devait être construit qu'à l'époque du siège des Suédois. On pouvait se rendre depuis les rues de la Vieille-Ville dans la cité juive sans être contraint d'abord de frapper à une porte close. Le baron conduisit donc sa bande par la rue Saint-Valentin vers le quartier juif en empruntant des ruelles étroites et anguleuses. Ils longèrent le mur du cimetière jusqu'aux berges de la Moldau, puis revinrent sur leurs pas, en passant devant les bains juifs, l'hôtel de ville, la boulangerie, les boucheries fermées, et traversèrent le marché aux puces désert, et les musiciens jouaient, et Collalto dansait, et aucun saint de pierre qui lui eût permis de se reposer un peu ne se trouva sur leur chemin. Çà et là, une fenêtre s'ouvrait sur leur passage, des visages ensommeillés et apeurés jetaient un coup d'œil dans la rue, puis la fenêtre se refermait. Çà et là, on entendait aboyer un chien qui trouvait ce cortège suspect. Et lorsque les deux porte-flambeaux suivis des musiciens s'engagèrent dans la rue Large, là où se trouvait la maison du grand rabbin Loew, Collalto était arrivé au bout de ses forces. Il gémit, tituba, porta la main à sa poitrine et appela à l'aide d'une voix étouffée.

Le grand rabbin, qui, dans sa chambre, là-haut, était penché sur les livres saints aux pouvoirs magiques, entendit cette voix, et il comprit qu'elle montait du plus profond désespoir.

Il s'approcha de la fenêtre, se pencha à l'extérieur et demanda qui avait crié et comment on pouvait l'aider.

« Une image de Jésus, par pitié, dit Collalto, haletant, à bout de souffle, sans cesser de danser et de tituber. Pour l'amour du ciel, une image de Jésus, ou je suis perdu. »

Le grand rabbin embrassa du regard les porte-flambeaux et les musiciens, Collalto qui dansait, les deux laquais armés de leurs pistolets et le baron qui riait, et ce bref regard lui fit comprendre d'une part pourquoi le danseur suppliait qu'on lui donnât une image de Jésus, et d'autre part qu'il fallait sauver cet homme du danger de mort qui le menaçait.

En face, de l'autre côté de la rue, se dressait une maison qui avait été détruite par un incendie et dont il ne restait qu'un seul mur noirci par le temps et la fumée. Le grand rabbin tendit la main dans sa direction et, usant de son pouvoir magique, fit apparaître sur ce mur une image faite de clair de lune et de corruption, de suie et de pluie, de mousse et de mortier.

C'était un Ecce homo. Non pas le Sauveur, le fils de Dieu et du charpentier descendu de ses montagnes de Galilée afin d'instruire le peuple et de mourir pour son enseignement, non, mais un Ecce homo de nature différente. Toutefois, il y avait une telle noblesse dans ses traits, la souffrance qui s'exprimait sur son visage était si bouleversante que le baron au cœur de pierre, touché sur-le-champ par la foudre du repentir, fut le premier à tomber à genoux. Et devant cet Ecce homo, il s'accusa d'avoir péché par défaut de miséricorde et de crainte de Dieu. [...]

La nuit sous le pont de pierre,
traduit de l'allemand par Jean-Claude Capèle,
© Librairie Arthème Fayard, 1987

La nuit sous le pont de pierre est le livre auquel Perutz a attaché le plus de soin. Il y travaille pas moins d'un quart de siècle. Il en publie des extraits en 1927 dans un volume sur la vieille Prague, mais le volume ne paraît qu'au début des années cinquante. Il y raconte la grande peste de la fin du XVIᵉ siècle, un épisode de l'existence de Kepler, les mois qui ont suivi la bataille de la Montagne Blanche, et aussi la figure emblématique du rabbin Löw, le créateur du Golem, qui a été immortalisé par Meyrink, et qui incarne aux yeux du peuple juif « les souffrances du judaïsme persécuté et bafoué à travers les siècle ». Bien qu'il ait vécu si peu à Prague, la cité où il a vu le jour n'a jamais cessé de le hanter et de susciter en lui d'infinies nostalgies, en particulier cette étrange et presque magique cohabitation de cultures diverses qui se sont interpénétrées au fil des siècles.

PRAGUE DES TROIS GHETTOS

GUSTAV MEYRINK

Le Graben (Na Prikopé)

Les origines de Gustav Meyer (il prendra ensuite le pseudonyme de Meyrink) sont tourmentées. Il naît à Vienne en 1868 d'une actrice de Hambourg et d'un ministre d'État du Württemberg. C'est sa mère qui se charge de son éducation, mais sa carrière théâtrale fait que l'enfant connaît une grande solitude. Il s'installe à Prague à l'âge de seize ans quand sa mère part en tournée à Saint-Pétersbourg. Il fait des études commerciales et, en 1889, il fonde une société de change, la Meyer & Morgenstern. Six ans plus tard, il se lance dans l'aventure du Premier Bureau de Change Chrétien. Il commence à écrire des nouvelles et collabore à la revue Simplicissimus *de Munich. Un certain nombre de ses récits ont un caractère satirique et humoristique. Il se forge rapidement une grande réputation et il se réunit avec ses disciples du Café Continental où est parfois venu Franz Kafka. En 1902, il est accusé de malversation financière. Bien qu'il soit innocenté, il quitte Prague en 1904. Installé à Vienne, il se passionne de plus en plus pour tous les aspects de l'occultisme, après avoir contracté un mariage malheureux qui le porte au bord du suicide. En 1915, il achève un livre commencé depuis sept ou huit ans, et qui le rend célèbre :* Le Golem, *dont le décor est bien sûr l'ancienne Prague. En 1916 il fait paraître* Le Visage vert *et, l'année suivante,* La Nuit de Walpurgis. L'Ange à la fenêtre de l'Occident *sort de presse en 1927. Il décède en 1932.*

[...] Rarement Anglais et Français savent où se trouve Prague car, comme cela est écrit sur la Bible, ils ont choisi la meilleure part.

En tchèque Prague se dit : Prr-aha. Et pas à tort.

Le ruisseau qui naît dans la Bohême méridionale et à la fin, pour le bien ou le mal, se jette dans l'Elbe, traverse rapidement la ville. Aux yeux de l'étranger ignorant, il semble, à première vue, aussi imposant que le Mississippi, alors qu'au contraire il n'est profond que de quatre millimètres et est rempli de sangsues.

Cependant, en mars, quand souffle le vent du dégel, il lui arrive de grossir et ainsi, régulièrement, il offre au glorieux régiment d'artillerie n° 23 en garnison sur le « Hradschin », qui protège jour et nuit la ville des Prussiens, l'occasion rêvée de tirer du canon.

Coups d'intimidation, naturellement !

Quand on a donné récemment l'autorisation de tirer tous les jours même à midi, la dernière bonne raison de différer la régulation du ruisseau est devenue caduque.

Encore un peu et il sera possible de quitter Prague en navire !

Sur le ruisseau passent six ponts dont l'ancien et célèbre « pont de pierre », pour la construction duquel on sait qu'on a utilisé du blanc d'œuf à la place du ciment.

Ou peut-être me trompé-je ? Bien sûr, c'était de la céruse de plomb.

Les Suédois, pendant la guerre de Trente Ans, voulaient entrer dans la ville de la *Kleinseite* en passant sur ce pont, mais, terrorisés, ils finirent par rebrousser chemin.

D'après ce que l'on dit, Prague se divise en différentes parties, mais cela est une vaine promesse.

On pouvait facilement y accéder par le sud, l'est et le nord, à l'ouest, la libre circulation est rendue difficile par les lignes ferroviaires de la Bohême occidentale.

Qui veut néanmoins se faire ce plaisir peut très bien venir à pied de Furth i. W... Mon Dieu, les routes ne sont pas si mauvaises que ça.

Qui veut d'ailleurs contempler Prague un jour ou l'autre ne doit compter que sur ses propres forces.

L'« Union pour l'interdiction de la circulation étrangère » qui se trouve dans la Ferdinanstrasse (Na Prikopé), devant le « Plateis », de biais en face du coiffeur Gürtler, onzième maison depuis le nord, numéro de circonscription 78144781889 b. répond rapidement à toute demande. En langue bohémienne, naturellement.

> Traduit de l'allemand
> par Blandine Ogariv.
> « Prag. Eine optimistische gehaltene
> Städteschilderung in vier Bildern »
> Extrait de *Orchideen. Sonderbare
> Geschichte*, Munich, 1904,
> repris dans *Des Deutschen Spiessers
> Wunderhorn*, Munich, 1913.
> *Texte inédit en français*

Rien de surprenant au fait que cet homme passionné par l'occulte et prêt, pour reprendre l'expression d'Elémir Zolla, à suivre « toutes les "voies de la maison gauche", qui fascinent les âmes errantes et incertaines, ignorantes d'avoir dans la mystique chrétienne tout ce qu'elles désirent, sans les distractions et les approximations de l'exotisme ». Ce membre de la loge théosophique de l'Étoile bleue, qui ne néglige ni la Kabbale, ni la télépathie, ni le yoga, ni le taoïsme, ni l'alchimie, ne peut qu'avoir été profondément saisi par la force de la légende du Golem, qui a suscité une importante littérature depuis l'époque de son créateur, le rabbin Löw. Prague, telle que Meyrink la met en scène, prend un aspect fantasmagorique et même labyrinthique, comme si son essence était d'une nature contradictoire, à la fois profondément sublime, séduisante et terrifiante. Elle peut prendre un aspect plus prosaïque et plus drôle dans les esquisses que l'écrivain a pu faire de la vie sociale à la Belle Époque.

LEO PERUTZ

La vieille cité juive

[...] Vers le début du siècle, alors que j'avais quinze ans et que je fréquentais le lycée – j'étais un mauvais élève qui avait constamment besoin de cours particuliers –, je vis la cité juive de Prague pour la dernière fois. Bien sûr, elle ne portait plus ce nom depuis longtemps : on l'appelait Josefstadt. Et elle reste dans mon souvenir telle que je la vis alors : de vieilles maisons blotties les unes contre les autres, des maisons au dernier stade du délabrement, avec des saillies et des ajouts qui encombraient les ruelles étroites, venelles tortueuses dans le dédale desquelles il m'arrivait de me perdre sans espoir lorsque je n'y prenais pas garde. Des passages obscurs, des cours sombres, des brèches dans les murs, des voûtes, telles des cavernes, où des brocanteurs vendaient leurs marchandises, des puits et des citernes dont l'eau était contaminée par la maladie pragoise, le typhus – et dans les moindres recoins, à tous les carrefours, un tripot où se retrouvait la pègre de Prague.

Oui, je connaissais bien la vieille cité juive. J'y passais trois fois par semaine pour me rendre dans la rue des Tsiganes qui, depuis la « rue large », la rue principale de l'ancien ghetto, menait jusqu'aux berges de la Moldau. C'est là, dans la rue des Tsiganes, sous les combles de la maison « Au four à chaux », que mon précepteur, l'étudiant en médecine Jakob Meisl, avait sa chambre.

Je la vois encore aujourd'hui – un demi-siècle n'est pas parvenu à effacer son image de ma mémoire. Je vois l'armoire qui ne se fermait pas et qui offrait à la vue du visiteur deux costumes, un imperméable et une paire de bottes à tige. Je revois les livres et les cahiers, sur la table, sur les chaises, sur le lit, sur le coffre à charbon et par terre, épars ou empilés, et sur le rebord de la fenêtre les trois pots de fleurs, deux fuchsias et un bégonia dont mon précepteur disait qu'on les lui avait simplement donnés en fief, qu'ils appartenaient en réalité à sa logeuse. Sous le lit, on apercevait l'extrémité d'un chausse-pied qui avait la forme d'un lucane aux cornes impressionnantes. Et sur les murs piqués d'humidité, je revois encore les rapières croisées de l'étudiant en méde-cine Meisl, noires de suie et éclaboussées d'encre, et ses cinq pipes avec des têtes en porcelaine décorées de reproductions en couleurs vives des portraits de Schil-ler, Voltaire, Napoléon, du maréchal Radetzky et du chef hussite Jan Zizka de Trocnov.

Je garde un souvenir particulièrement précis de ma dernière visite à la cité juive. C'était quelques jours avant les grandes vacances d'été, et avec mes cahiers, que je portais attachés par une courroie, je traversai l'ancien ghetto dont la démolition venait à peine de commencer. À mon grand étonnement, je tombai, dans la rue Joachim et la « ruelle dorée », sur de grandes brèches que la pioche avait ouvertes, au travers des-quelles j'aperçus des rues et des ruelles qui m'étaient res-tées inconnues jusqu'alors. Je dus me frayer un chemin au milieu de montagnes de débris et de gravats, de tuiles brisées, de bardeaux, de tuyaux tordus, de planches et de poutres pourries, de mobilier délabré et autres débris.

La Nuit sous le pont de pierre,
traduit de l'allemand par Jean-Claude Capèle,
© Librairie Arthème Fayard, 1987

« Le lieu magique de Prague », écrit Angelo Maria Ripellino dans *Praga magica*, « était la ville juive […] également appelée Josefov, du nom de l'empereur Joseph II qui le premier atténua, à la fin du XVIIIe siècle, les discriminations religieuses et raciales, et plus tard au XIXe siècle, le Cinquième Quartier. […] Endroit mystérieux dont il reste bien peu de choses : quelques synagogues. […] La tradition hébraïque fait remonter l'origine du ghetto de Prague à une époque immémoriale, précédant même la fondation de la ville sur la Vlatva. Certaines légendes rapportent que les Hébreux arrivèrent sur les lieux aussitôt après la destruction du Temple de Jérusalem, d'autres fixent leur venue au VIIIe ou au IXe siècle. »

MAX BROD

L'église Saint-Nicolas

Né à Prague en 1884, Max Brod deviendra très tôt l'ami de Felix Weltsch. Comme tous les Juifs pragois, il fait ses humanités en allemand. C'est à la faculté de droit en 1902 qu'il fait la connaissance de Franz Kafka avec lequel il crée – accompagné par Weltsch et Oskar Baum – le Cercle de Prague, qui se réunit en règle générale au café Arco. Diplômé de la faculté de droit en 1907, il écrit déjà de la poésie, publie des textes dans des revues, des articles dans des journaux en Allemagne et organise des soirées littéraires. Il est très lié aux milieux sionistes et est très influencé par la pensée de Martin Buber. Son intimité avec Kafka, qu'il considère immédiatement comme un immense écrivain, lui vaut d'être son légataire universel à la mort de celui-ci en 1924. Il consacrera une grande partie de sa vie à faire connaître l'œuvre de son ami. Auteur de nombreux romans, dont Le royaume enchanté de l'amour *(1928),* L'Astronome qui a trouvé Dieu *(la pièce centrale d'une trilogie écrite entre 1915 et 1948),* Stefan Roth ou l'année décisive *(1934), et d'essais comme* Le Cercle de Prague *(1966), il quitte la Tchécoslovaquie peu avant l'invasion allemande pour s'installer en Palestine où il meurt en 1968.*

[...] Christof est affreusement déçu, non parce que son affaire n'est pas terminée – il pourrait s'y résigner –, mais parce que Garta a mis en jeu toute sa force, tout son cœur pour assainir la situation, et cette fois-ci il a échoué. Christof n'est pas loin d'attribuer à son ami des dons spirituels supérieurs, et voici que les forces des ténèbres, les forces du mal sont restées victorieuses.

Il passe devant l'église Saint-Nicolas, la nuit est sombre. Une pensée l'étreint : cette église, c'est le mal. Une masse noire, un abîme entre les tours où la grosse coupole paraît s'enfoncer, étouffer. Tout autour, c'est une abondance de tourelles, de petits toits, de petites voûtes, de petites colonnes. Pour Christof, cet amalgame de toutes les formes paraît tout à coup le mal lui-même.

Le baroque seul offre cette caractéristique de vouloir tout réunir, l'arrondi et le rigide, le ciel et la terre, la douceur et la brutalité, la dignité raide et l'extase ailée, la sensualité et l'ascétisme ; tout. Rien n'est là, moi seul embrase tout – ce sont les paroles mêmes du mal. Le style baroque, c'est le mal. Et Prague, la ville baroque par excellence, est une cité du mal. Prague rend mauvais tous ceux qui y habitent. Cette ville à l'atmosphère malsaine, installée dans un bas-fond humide, a toujours été une ville d'oppresseurs et d'esclaves : esclaves des Habsbourg, esclaves de l'Église, ville des haines de races et de nations, de conquérants et de vaincus. Tantôt la suprématie est aux Allemands, tantôt aux Tchèques, l'oppression ne cesse d'y régner.

Le style baroque est bien le style des oppresseurs, de l'Église triomphante, qui ne connaît qu'elle, qui veut saisir la splendeur de la terre. Les églises seront des théâtres mondains, des boudoirs de femme en même temps que des temples. L'exagération des façades contorsionnées, les corps frémissants des saintes dames et des farouches évêques de pierre qui s'agitent dans leurs niches, tout est méchant et menaçant, pas la moindre trace de piété.

– Comment se fait-il que je ne m'en sois jamais aperçu ? c'est pourtant clair. Prague, ville nocive, ne pouvait être que de style baroque. Mais moi tu ne m'auras pas, ville pernicieuse, tu ne me dompteras pas !

Christof, depuis peu, aimait une jeune fille, Léna. La manière dont il l'a conquise n'est peut-être pas sans reproches. Pour la première fois il voit le danger. Ne pas être mauvais ! Ne pas ressembler à Prague ou à cette église !

Ses réflexions cependant, ne s'interrompent pas, elles procèdent par éclairs. Le style baroque, c'est le style de l'impérialisme mondial, le style de la plus dangereuse des puissances, le style de Rome.

Ni la liberté sereine des colonnes grecques, ni la nostalgie douloureuse des cathédrales gothiques ne s'épanouissent à Rome. Rome est baroque, le baroque termine le dogme, se cramponne à la terre et ne va pas plus loin : je suis la fin, l'ultime plénitude. Et c'est cette présomption impie qui veut se justifier, qui est l'essence du mal ; Rome et Prague, les deux villes baroques ont connu un même architecte : le Bernin. C'est lui qui a créé le style du péché et du génial libertinage.

Et pourtant – c'est beau ! Prague est belle. J'aime cette ville, cette dangereuse patrie. Sa nocivité m'est chère. Comment résister, alors que j'aime ?

Le Royaume enchanté de l'amour,
traduit de l'allemand par
Denis de Rougemont,
© Je sers, 1936, Éditions Viviane Hamy, 1990,
pour la traduction française

Comme Franz Kafka, Max Brod est amoureux de sa ville natale, mais il en pressent le caractère pernicieux et même dangereux. Dans ce roman largement autobiographique, où l'un des principaux personnages, Garta, est l'auteur du *Procès*, il choisit l'une des plus belles églises du quartier de Malá Strana, Saint-Nicolas, comme l'expression la plus forte de cette menace qui émane des vieilles pierres de leur histoire. Cette église, gothique à l'origine, fut donnée à l'ordre des jésuites en 1630 par l'empereur Ferdinand II. Elle est reconstruite complètement en 1653 par des architectes italiens, Domenico Orsi de Orsini et Carlo Lurago. La coupole est peinte par Jan Lukas Kraker, les statues du chœur sont créées par Platzer et l'orgue est surmonté d'une fresque dont la partie supérieure représente l'Apothéose de sainte Cécile, œuvre de Franz Xaver Palko.

JOHANNES URZIDIL

Les marchés

*Né à Prague en 1896, Johannes Urzidil est attiré par les
cercles littéraires de ses aînés qu'il retrouve dans les cafés littéraires : Franz Kafka, Max Brod, Ernst Weiss, Franz Werfel,
et participe en spectateur émerveillé à ce fervent* Dichterkreis.
*Il s'intéresse aussi de près aux figures pittoresques et tragiques
qui hantent ces lieux comme Karl Brand ou Karel Weissen-
stein. Journaliste, il quitte Prague lors des accords de Munich
pour l'Angleterre – où il travaille pour la propagande, puis les
États-Unis en 1941. C'est là qu'il écrit l'essentiel de son œuvre
qui, à de rares exceptions près (comme* L'Or de Caramablu,
*récit posthume qui se situe au Pays basque), est constitué de
souvenirs de sa vie pragoise, des figures désormais mythiques
qu'il y a connues. Il publie en 1956* La Bien-aimée perdue,
quatre ans plus tard Le Triptyque de Prague, Goethe in Böh-
men, La Maison des neuf diables *(1962) et imagine dans une
nouvelle « La Fuite de Kafka ».*

[...] J'étais un spécialiste des marchés, ils offraient
toujours un spectacle varié et il s'y passait beaucoup de
choses. Voici, dans la Vieille-Ville, le marché aux puces
avec ses stands exigus pleins de chutes d'étoffes de
toutes couleurs et de tous motifs, du bric-à-brac le plus
ahurissant, neuf et d'occasion, provenant de ménages
qui s'étaient effondrés ou de magasins qui avaient fait
faillite ; les vendeurs et les acheteurs bourrés de méfiance

et de dédaigneuse hostilité, s'apostrophant comme les héros de *l'Iliade* avant le duel décisif. À côté, le Marché aux choux, où l'on ne trouvait de choux d'aucune sorte, mais surtout des fleurs, rien de fastueux, seules les fleurs touchantes de la campagne bohémienne, réséda et amarante, giroflée pourpre et giroflée jaune, pélargonium et aster. Les marchandes y officiaient à l'ombre de la maison nommée « Aux trois lions » où Mozart avait logé. De là, il ne lui fallait que cinq minutes pour se rendre au Ständetheater où les musiciens de l'orchestre attendaient dans une extrême fébrilité, car l'ouverture du « Libertin châtié » n'était même pas couchée sur le papier et ils allaient être obligés de déchiffrer. Or, ce théâtre, ainsi que l'université carolinienne édifiée par le grand – tout petit qu'il eût été de taille – Charles IV, donnait sur le Marché aux fruits avec ses corbeilles pleines de baies et autres fruits où resplendissait toute la grâce des champs et des bosquets de ce pays et où l'on respirait le parfum des forêts de Bohême.

Mais le plus beau de tous les marchés demeurait sans conteste celui de Noël sur l'Altstädter Ring, quand, à la saison de l'Avent, les baraques s'édifiaient, bientôt couvertes de neige, car il neigeait alors à Prague en décembre (plus tard, lorsque les républicains eurent déménagé le marché sur la fade place Charles, l'hiver, offensé, n'envoya plus que le minimum de neige nécessaire en janvier ou en février). Dans la cité des baraques de Noël, sur le Ring, il m'arrivait de me perdre quand j'étais enfant. Mais j'étais le seul à le savoir, car personne ne se souciait de moi. Le hasard me faisait retrouver mon père et son collègue ès-promenades. Il y avait une foule de choses à voir. On y trouvait le Bulgare

Duko Petrovitch qui vendait du miel turc en gâteau dont il taillait des portions avec une petite hachette (Willy Haas à Franz Werfel : je te donne un florin si tu me trouves une rime à Duko Petrovitch). Il y avait aussi un théâtre de marionnettes avec ses fils de rois, ses princesses enchantées et l'inévitable Faust à qui une voix terrifiante, venue de la mercerie de papa Hermann Kafka, lançait en tchèque :

> *Faust, ô Faust, quelle mouche te pique*
> *De vendre à Satan ton âme unique ?*

Le miracle de Noël se multipliait dans les baraques qui présentaient les personnages bigarrés de la crèche, taillés à la main dans les Erzgebirge. En de longues files s'alignaient par douzaines les Marie, les saints Joseph et les anges, et par centaines, les bergers et les moutons. La neige virevoltait et enveloppait de ses flocons l'église du Tyn et l'hôtel de ville, couronnait la madone de la Victoire de la Montagne Blanche qui, du haut de sa colonne, contemplait le spectacle d'un air rêveur et, de l'autre côté, effleurait la Vénus au rire moqueur qui, au fronton d'un palais, balançait un globe terrestre entre ses cuisses et, l'index pointé vers son ventre, faisait dire en public (en allemand pardessus le marché) à une flamme ces frivoles paroles : « Le monde entier autour de ce point tourne ».

Il existait donc, semble-t-il, force choses sympathiques, du moins en surface, en mince surface, ou dans l'univers réservé de l'enfant. [...]

Le Triptyque de Prague,
traduit de l'allemand par Jacques Legrand,
© Éditions Desjonquères, 1988

S'il s'attache à se faire le chroniqueur des figures légen-
daires du monde intellectuel et bohème de la Prague à la
fin de l'Empire, il a emporté dans son exil des images particulièrement vivante de ses jeunes années. La Prague qu'il
nous restitue n'a pas fondamentalement changé depuis
cette époque. Mais la vie, elle, a subi des transformations
considérables. C'est ainsi qu'il donne le sentiment au lec-
teur de contempler des toiles anciennes mais qui, en dépit
de tout, n'ont rien perdu de leur authenticité, de leur fraî-
cheur et de leur beauté.

FRANZ KAFKA

« Ce n'est pas une ville »

Kafka a entretenu des relations très ambiguës avec sa ville natale. S'il voyage autant – en Allemagne, en Suisse, à Milan, à Venise, à Trieste, à Paris, au Danemark, à Vienne –, c'est bien sûr par goût, mais aussi pour échapper à l'emprise de Prague : il confie à Oskar Pollak que « Prague ne nous lâchera pas. Pas nous deux. La petite mère a des griffes. » Et il n'hésite pas à la considérer comme maudite. Impossible d'y échapper. Il constate d'ailleurs que toute son existence peut s'inscrire dans un cercle au diamètre réduit. Un jour, à la fenêtre de son appartement qui donne sur la Ringplatz (la place de la Vieille-Ville), il déclare à son ami Friedrich Thie-berger : « Là, c'est mon lycée, puis là, en face, l'université et, un peu plus loin, à gauche, mon bureau. Toute ma vie, dit-il en traçant quelques petits ronds du bout du doigt, s'inscrit dans ce petit cercle. » N'a-t-il pas écrit : « Hors de Prague j'ai tout à gagner, c'est-à-dire que je puis devenir un homme indépendant, satisfait, qui exerce toutes ses facultés et qui reçoit pour salaire d'un travail tangible le sentiment d'être réellement vivant et de n'avoir plus rien à désirer » ?

Promenade, en passant par le pont Charles et ses tours du côté Malá Strana, par la ruelle des Saxons et la place du Grand-Prieuré. Ensuite : ruelle Procope jusqu'au marché aux Œufs – aujourd'hui Malostranské náměstí –, puis montée par la rue Bretislav et les larges escaliers du Mont-Jean, jusqu'à la Spornergasse, que nous redescendîmes ensuite jusqu'à la place de Malá Strana et au tramway.

Kafka m'expliqua les statues du pont, me fit remarquer divers détails, me montra de vieilles enseignes, des porches, des encadrements de fenêtres et des ferronneries. Sur le pont Charles, Kafka tendit sa main droite pour me montrer un petit ange taillé dans le grès qui, derrière une statue de la Vierge, se bouchait le nez, les doigts raides.

« Il fait, dit Kafka, comme si le ciel sentait mauvais. Pour un être céleste – et un ange en est un –, tout ce qui est d'ici-bas sent en tout cas nécessairement mauvais.

– Mais la statue aux pieds de laquelle cet ange est accroupi est une statue de la Sainte Vierge.

– Eh bien justement, s'écria Kafka. Il n'y a rien de plus terrestre que la maternité, et rien en même temps qui dépasse davantage la terre. La douleur de l'enfantement plante dans la poussière terrestre une nouvelle lueur d'espoir et, par conséquent, une nouvelle possibilité de bonheur. »

Je ne répondis rien.

En passant devant le palais Schönborn, sur le marché aux Œufs, Kafka dit : « Ce n'est pas une ville. C'est le fond raviné de l'océan du temps, recouvert de rochers éboulés qui sont des passions et des rêves refroidis : et nous nous y promenons comme dans une cloche de plongée. C'est intéressant, mais à la longue on étouffe. On est obligé, comme tous les plongeurs, de remonter à la surface, sinon le sang fait éclater les poumons. J'ai habité ici quelque temps. J'ai dû partir. C'était trop loin. »

J'acquiesçai : « Oui, ce n'est pas commode pour rejoindre le centre. Il faut passer par le vieux pont de pierre et traverser tout un fouillis de ruelles tortueuses. Il n'y a pas de chemin direct. »

Kafka resta quelques instants sans rien dire. Puis il enchaîna sur ma remarque en posant une question, à laquelle il répondit lui-même aussitôt :

« Existe-t-il en fait un chemin direct, quelque part ?

Le seul chemin direct, c'est le rêve, et il ne mène que là où l'on se perd. »

Je regardai Kafka sans comprendre. Quel était le rapport entre un rêve et le chemin allant de Malá Strana à l'Office d'Assurances sur le Pŏič ?

Pour dissimuler mon désarroi, je dis à mi-voix :

« Le tramway n'est pas bien pratique non plus. Il faut changer et l'on attend généralement assez longtemps avant d'avoir la correspondance. »

Mais le Dr Kafka ne paraissait pas m'entendre. Le menton en avant, les mains dans les poches de son mince pardessus gris, il descendait la Spornergasse d'un pas si rapide que moi, qui lui arrivais tout juste à l'épaule, je devais trotter courageusement pour ne pas me laisser distancer. Mais Kafka ne sembla remarquer cette marche forcée qu'une fois en bas, sur la place de Malá Strana.

Il s'immobilisa à l'arrêt du tramway et dit avec un sourire embarrassé : « J'ai eu l'air de vouloir vous semer. Est-ce que je n'ai pas marché trop vite ?

– Ce n'était pas si terrible », répondis-je en passant mon mouchoir sous mon col de chemise trempé de sueur. « On accélère toujours en descendant une côte. »

Mais Kafka n'était pas d'accord.

« Non, non ! Ce n'est pas seulement la côte. C'est aussi le plan incliné qui est en moi. Je roule comme une boule vers le repos. C'est une faiblesse qui vous fait perdre toute retenue.

– Ce n'était pas si terrible », répétai-je, mais Kafka secoua la tête.

Conversations avec Kafka,
Gustav Janouch, traduit de l'allemand
par Bernard Lortholary,
© Maurice Nadeau/Les Lettres françaises, 1978

L'église Saint-Jacques

Bien qu'il ait eu le sentiment d'être pris en otage par le passé de Prague, par ses fantômes et ses légendes, Kafka a éprouvé un amour sans limites pour cette magnifique concrétion de pierre fruit de siècles de culture. Quand le jeune Gustav Janouch vient lui rendre visite, il l'invite parfois à se promener avec lui. Il se révèle un connaisseur avisé de son architecture et de son histoire. Si Prague apparaît assez peu dans ses fictions, il n'en éprouve pas moins des sensations profondes quand il passe dans un des coins presque secrets de cette cité construite comme un labyrinthe et qui possède un nombre impressionnant de passages discrets et de ruelles tortueuses réservées aux initiés, qu'il qualifie de « crachoirs à lumière » : « Comme la vue des escaliers m'émeut aujourd'hui. Ce matin déjà et plusieurs fois depuis, j'ai pris plaisir à regarder de ma fenêtre le triangle découpé dans la rampe de pierre, qui à droite du pont Cech descend vers le quai. Très en pente comme s'il ne donnait qu'une simple indication. »

Le Dr Kafka aimait les vieilles rues, les palais, les jardins et les églises de la ville où il était né. Il feuilletait avec plaisir et intérêt tous les livres consacrés au vieux Prague que je venais lui montrer à son bureau. Des yeux et des mains, il caressait littéralement les pages de ces ouvrages, bien qu'il les ait lus depuis longtemps, sans attendre que je les lui apporte. Il avait alors le regard brillant du collectionneur en extase, quoi qu'il n'eût rien par ailleurs du collectionneur. Les choses anciennes n'étaient pas pour lui des objets de collection, figés par l'histoire, mais des instruments de connaissance, malléables, des ponts entre hier et aujourd'hui.

Je m'en aperçus un jour que nous allions de l'Office d'Assurances à la Place de la Vieille-Ville : nous nous arrêtâmes près de l'église Saint-Jacques, qui fait face, en biais, à la Cour du Týn.

« Connaissez-vous cette église ? me demanda Kafka.

– Oui, mais superficiellement. Je sais qu'elle appartient au couvent de Franciscains qui se trouve à côté. C'est tout.

– Mais vous avez sûrement déjà vu cette main suspendue à une chaîne, qui se trouve dans l'église ?

– Oui, et même plusieurs fois.

– Voulez-vous que nous allions la voir ensemble ?

– Très volontiers. »

Nous entrâmes dans cette église, dont les trois nefs sont parmi les plus longues parmi les églises de Prague. Près de l'entrée, sur la gauche, au bout d'une longue chaîne qui pend de la voûte, on aperçoit un os noirci par la fumée, où subsistent des fragments desséchés de chair et de tendons, le tout évoquant par sa forme les tristes restes d'un avant-bras humain. On raconte que ce serait celui d'un voleur, à qui on le coupa en l'an 1400, ou bien peu après la guerre de Trente Ans, pour l'accrocher dans l'église afin de perpétuer le souvenir de l'histoire qui se conclut par cet acte atroce et qui, selon de vieilles chroniques et une tradition orale fort vivante, serait la suivante :

Dans cette église, qui comporte du reste aujourd'hui

encore un nombre important de petits autels latéraux,
se trouvait sur l'un d'eux une statue en bois de la Vierge
Marie, qui était couverte de colliers faits de pièces d'or
et d'argent. Fasciné par ce trésor, un mercenaire qui
avait quitté le service s'était caché dans un confessionnal
pour attendre la fermeture de l'église. Puis, quittant sa
cachette, il s'était approché de l'autel, était monté sur
un tabouret qui servait au bedeau quand il allumait les
cierges, et avait tendu la main pour tenter d'arracher sa
parure à la statue. Mais sa main se paralysa. C'était la
première fois que le voleur s'introduisait ainsi dans une
église, et il crut que c'était la statue qui le tenait par la
main. Il essaya de se dégager, mais il n'y parvint pas.
Quand au matin le bedeau le découvrit, épuisé, sur le
tabouret devant l'autel, il alerta les moines. Au pied de
l'autel où la statue de la Vierge tenait toujours le voleur
livide de terreur, on vit bientôt s'assembler une foule
en prières. Il y avait là le bourgmestre et quelques éche-
vins de la Vieille-Ville. Le bedeau et les moines tentèrent d'arracher à la statue la main du voleur. Ils n'y
parvinrent pas. Le bourgmestre fit donc mander le
bourreau, qui d'un seul coup de glaive trancha l'avant-
bras du voleur. Alors « la statue lâcha aussi la main ».
L'avant-bras tomba à terre. On pansa le voleur et,
quelques jours plus tard, il fut condamné pour sacrilège
à une longue peine de prison. Quand il l'eut purgée, il
entra comme frère lai chez les Franciscains. La main
coupée fut suspendue à une chaîne, près du tombeau de
l'échevin Scholle von Schollenbach. Sur le pilier voisin,
on fixa un tableau naïf représentant l'événement,
accompagné d'une légende en latin, en allemand et en
tchèque.

Kafka leva les yeux vers le moignon racorni, le considéra un moment avec intérêt, jeta un coup d'œil au petit panneau décrivant le miracle, puis se dirigea vers la sortie. Je le suivis.

« C'est atroce, lui dis-je une fois dehors. En fait de miracle de la Vierge, c'était naturellement un spasme tétanique.

– Mais qu'est-ce qui l'a provoqué ? » dit Kafka. Je répliquai :

« Vraisemblablement une soudaine inhibition. Le sentiment religieux du voleur, occulté par son désir des bijoux de la madone, fut soudain réveillé par son geste. Ce sentiment était plus puissant que le voleur l'avait cru. C'est lui qui a paralysé sa main.

– Bien vu, dit Kafka en me prenant par le bras. La nostalgie du divin, la crainte – qui l'accompagne – de profaner le sanctuaire et le besoin inné de justice : autant de forces puissantes et invincibles qui, chez l'homme, se cabrent dès qu'il agit contre elles. Elles constituent un régulateur moral. Un criminel doit donc toujours commencer par triompher de ces forces intérieures avant même d'en arriver à commettre une action criminelle. Aussi chaque crime commence-t-il par un acte psychique d'automutilation. Cet acte, le mercenaire pilleur de statue n'a pu l'accomplir. Voilà ce qui a paralysé sa main. Elle a été bloquée par son sentiment de la justice. Et l'intervention du bourreau n'a pas été pour lui aussi atroce que vous le pensez. Au contraire, la terreur et la douleur lui ont apporté soulagement et salut. Le geste physique du bourreau était le substitut de l'automutilation psychique. Ainsi ce pauvre mercenaire, incapable de dépouiller même un mannequin de bois, a été délivré de ce blocage que lui infligeait sa conscience morale. Et il a pu rester un homme. »

Conversations avec Kafka,
Gustav Janouch,
traduit de l'allemand par Bernard Lortholary
© Maurice Nadeau/Les Lettres françaises, 1978

L'église Saint-Jacques a été construite plus d'un siècle après l'installation des Frères mineurs non loin de l'église de Týn en 1232. Plusieurs fois refaite, elle est détruite par un incendie en 1589 et est reconstruite dans un style austère que seul vient rompre, à l'extérieur, le groupe sculpté par Ottavio Mosto représentant des nuées de putti au-dessus de la porte centrale. L'intérieur, au contraire, qui a conservé sa structure gothique, est d'un baroque flamboyant, avec ses colonnes rouges et ses chapiteaux dorés, son impressionnant tableau d'autel peint par Pánek avec son cadre ouvragé, ses plafonds peints dans la nef, la chaire rococo et ses hautes galeries aux rambardes dignes d'un théâtre.

PRAGUE À L'HEURE DU POÉTISME

Prague

Fils d'un prospère négociant juif, Ernst Weiss est né à Brünn
(aujourd'hui Brno) en Moravie le 28 août 1882. Il fait de
brillantes études de médecine à Prague, puis à Vienne (1902-
1903) où il fréquente son compatriote Sigmund Freud. Selon
Walter Mehring, il découvre son talent littéraire en rédigeant
les procès-verbaux de ses opérations chirurgicales. Il se lie
d'amitié avec Kafka et part avec lui en vacances à Marielyst au
Danemark. Souffrant de tuberculose, il se fait engager comme
*médecin de bord de l'*Aurora, *ce qui lui permet de découvrir*
l'Inde et le Japon. Son premier roman, Die Galeere, *paraît en*
1913. Il fait la guerre en qualité de médecin. Il en ressort très
marqué et écrit Mensch gegen Mensch. *Après l'armistice, il*
séjourne à Munich, revient à Prague et s'installe enfin à Berlin
au printemps 1921. Il mène une intense activité littéraire et se
consacre au théâtre. Ses romans se succèdent à un grand
rythme : 1921, Stern der Daïmonen ; *1924,* Der Fall Vulko-
brankovics ; *1929,* Georg Lethman, médecin et meurtrier, *qui*
est traduit en France en 1931, pour ne citer que les plus connus.
Antinazi militant, il s'exile en France, où il écrit Jarmilla *en*
1937 et Le Témoin oculaire. *Malade d'un cancer, il se suicide*
en 1940 à Paris bien qu'on lui ait proposé de l'aider à émigrer.

Sur Prague, ville jeune, ville de la joie et de la volonté
de vivre, pèsent toujours l'esprit du gothique et, plus
fortement encore, l'esprit oppressant, souvent même
écrasant, du baroque des Habsbourg.

C'est l'empreinte d'une très vieille princesse dont les traits se seraient pétrifiés tout en gardant leur beauté, qui aurait survécu à toute sa lointaine descendance, immensément riche, et dont plus personne n'oserait encore espérer la mort. Sur les grands esprits qui ont exercé ici leur activité, de Rilke à Kafka, l'ombre de l'esprit du baroque a toujours plané. Ce baroque, quel est-il ? Ce n'est plus la pure flamme spirituelle du christianisme cristallisé qui se manifestait dans le gothique, c'est un christianisme qui a déjà goûté aux richesses de l'esprit de l'Antiquité ressuscitée et à celles des sciences physiques et naturelles ressuscitées (l'art des alchimistes), un contre-mouvement grandiose du catholicisme, si imposant jusque dans l'agonie que même le vieux Goethe n'a pu, dans son *Faust, lui* résister. Nous allons assister à la deuxième renaissance de la liberté. D'où émanera-t-elle, du noyau de l'Europe dont Prague est justement le centre géographique et bientôt peut-être politique, ou d'autres régions du monde, qui peut le dire ? Il est certain que des hommes énergiques sont dès à présent à l'œuvre avec, à leur tête, le ministre d'État Benes. Sans se bercer d'illusions, rationnellement mais sans étroitesse rationaliste, raisonnablement mais sans tomber dans l'argutie, ils ont trouvé le grand courage d'opposer à l'égoïsme le plus borné, l'égoïsme « sacré » de la nation et de la « race », quelque chose de plus grand, de plus libre, de plus joyeux et de plus sûr de soi. La Bohême (regrettons au passage que la Tchécoslovaquie ne reconnaisse pas officiellement ce nom merveilleux) a, de tout temps, produit de grands pédagogues, grands parce que clairement conscients de leurs limites et les acceptant, de Amos Comenius à

Masaryk ; et le précepteur de la nouvelle communauté des peuples et des hommes, le fondateur d'une seconde Renaissance, peut venir de ce sol sombre et superbe, sombre sans être inquiétant, un sol où il fait bon vivre. Ce qu'on appelle sinon « la terre » ou « les racines » revendique ici son droit à l'existence, que personne ne conteste d'ailleurs, mais cette terre n'est pas très riche. [...]

Celle-ci a toutefois le privilège d'avoir vu naître quelques personnages dont l'œuvre, pour n'être pas révolutionnaire, n'en est pas moins admirable, et en premier lieu Smetana. Le Théâtre national tchèque a de même produit un ballet moderne dont la musique fut composée par un musicien de grand talent et de pensée très moderne : Martinu. Ce ballet, qui s'intitule *Jeu de construction (Spalicek)*, développe sur scène le folklore du pays tout entier, le conte dans le conte, de l'histoire du coq et de la poule à celle de la fiancée abandonnée qui danse son désespoir sauvage. Dans l'orchestre, deux protagonistes, un homme et une femme, chantent à tour de rôle, sous une lumière tamisée, un enchaînement de textes que l'orchestre accompagne en touches colorées et que reprend un chœur où se mêlent les voix de sopranos des enfants et des voix de basse sépulcrales. Ce qu'il y a de plus fort dans ce spectacle, c'est l'aspect enfantin, mais ce sont bien les enfants qui assemblent eux-mêmes les pièces de leur jeu de construction. La musique est toute finesse, sans mièvrerie, chaste jusqu'au dénuement, et lorsque l'atmosphère se réchauffe, c'est le souffle des champs en fleurs de Smetana qui passe, lui que l'on dit mort dans une misère extrême et à qui on veut aujourd'hui ériger un monument.

Les gens ne sont pas ici particulièrement reconnaissants. Mozart a vécu une partie relativement longue de sa courte existence à la villa *Bertramka,* dans ce quartier aujourd'hui ouvrier, avec ses bâtiments noircis par la suie ; il y a créé on peut dire la partie la plus significative de son œuvre, et la *Bertramka* va disparaître si l'on ne parvient pas à réunir, à mendier, les fonds nécessaires. Aucun monument ne rappelle que ses plus grands opéras ont été joués ici pour la première fois, et devant un public enthousiaste. Cela ne l'a certes pas empêché de mourir, lui aussi, dans une extrême misère, car tel est le refrain de la ballade du génie. Rien non plus ne rappelle l'existence du génial Jaroslav Hasek, en toute modestie le plus grand humoriste des cinquante dernières années, pas même l'enseigne d'un café. C'est la vie qui a fini par tuer le merveilleux créateur du *Brave Soldat Chvei,* dans ses jeunes et difficiles années. Il se serait noyé dans la bière... Pourtant quelque chose de son esprit a survécu ; de cet esprit aussi anarchiste, à sa façon, que celui de tout génie de l'humour : c'est le spectacle de *l'Âne et son ombre* que joue ici le « Théâtre libéré », dans les sous-sols du centre de la ville moderne (très loin du Hradcany baroque et des cathédrales gothiques). Les deux savoureux acteurs tragi-comiques Woskovec et Werich y sont acclamés tous les jours par un nombreux public, issu de la classe moyenne tchèque, qui rit, qui hurle, qui manifeste son enthousiasme en tapant du pied et en battant des mains. Ces deux grands acteurs, derrière leur masque de clowns, utilisent des tableaux d'une audace dont les limites ne sont dictées que par la seule censure du goût et ne négligent aucun des procédés du cirque, allant jusqu'à faire apparaître, en chair et en os, cet âne sur la petite scène. L'un d'eux fait penser, avec son maquillage d'un blanc éclatant, sa perruque d'un noir de jais, sa bouche large exprimant l'intelligence et le cynisme, sa démarche et sa façon de danser, alertes et souples, à un de ces vieux dieux de la Fortune tels que les représentent la face souriante recelant une énigmatique sagesse, la carpe de la fortune sous le bras, les gravures sur bois chinoises. L'autre lui ressemble comme Sancho Pança ressemble à Quichotte. Leur message est protestation, liberté de la pensée, raillerie face à la puissance. C'est un *song* funèbre sur la disparition du bel idéal de l'humanité, lequel, entre-temps, se relève lentement hors de la tombe. Tout est exprimé avec un minimum d'ampleur, de gestes, de cris. C'est à juste titre le seul théâtre vraiment populaire de la grande ville, sans idéaux contraints, avec seulement la simplicité, le pain, le travail pour tous. Et la justice, la bonne volonté, la raison et, une fois encore, la justice pour tous ! L'amour de la vie telle qu'elle est, tel qu'il convient de la supporter, sans rêver, ni s'étourdir. C'est cela que la foule vient acclamer ici.

Traduit de l'allemand par Miguel Couffon, in
Métamorphoses de Prague,
Gérard-Georges Lemaire,
© Éric Koehler Éditeur/
Musée du Montparnasse, Paris, 2002

La Prague dont parle Ernst Weiss au début des années trente est celle de sa jeunesse, la capitale d'un nouveau pays, pour lequel il éprouve des sentiments partagés, redoutant la faculté d'oubli de ce peuple. Comme le souligne Magris : « Le nœud central de la littérature pragoise est le rapport œdipien de l'écrivain allemand de Prague avec sa ville natale mais aussi étrangère, la sienne et aussi celle d'une autre civilisation qui le menace et l'assaille après avoir été longtemps tapie dans l'ombre ; l'écrivain allemand – très souvent juif allemand – de Prague vit cette dernière comme une frontière, qui le marque comme une blessure en laquelle il doit reconnaître néanmoins son propre corps. » (in *Métamorphoses de Kafka*, Éric Koehler Éditeur/Musée du Montparnasse, p. 21).

KAREL ČAPEK

Le relief de Prague

Né à Malé Svatonovice en 1890, Karel Capek part à Prague
à dix-sept ans pour faire des études de philosophie. Il com-
pose déjà des poèmes, et une revue de Brno le publie en
1904. Diplômé en 1915, il a déjà derrière lui une expérience
des revues littéraires. Exempté du service militaire, il se lance
aussitôt dans une double carrière : écrivain et journaliste. Il
est engagé par le grand quotidien Lidové noviny *en 1920.*
Écrivain protéiforme, il est considéré comme le chef de file
de la nouvelle littérature tchèque. Romancier, il écrit La
Fabrique d'absolu *en 1922,* Krakatite *en 1924,* La Guerre des
salamandres *en 1936,* La Maladie blanche *en 1937. Il est*
aussi l'auteur de pièces de théâtre, à commencer par Robot
Universal Rosum *(1920), (où il invente le mot robot), qui est*
représenté à Prague en 1922. Il a aussi écrit d'innombrables
nouvelles dont les Contes pénibles *(1917),* Contes d'une
poche *(1929),* Hordubal *(1934),* Le Météore *(1934), des his-*
toires pour enfants et de savoureux souvenirs de voyages en
Angleterre, en Italie, en Espagne, en Hollande et dans les
pays du Nord. Il se suicide le jour de Noël 1938 quand son
pays est sur le point d'être envahi par l'Allemagne.

On nous a appris que la Rome antique avait été fon-
dée sur sept collines. Sur combien de collines s'érige
Prague, cela, personne ne le sait, pas même Monsieur le
Maire, ni l'Institut national de géographie. Selon moi,
des vallées et des collines demeurent inexplorées, il reste

à Prague des endroits sur lesquels nul pied humain ne s'est posé à ce jour – si l'on excepte les amoureux. Le Pragois de l'intérieur ne connaît bien sûr que Letná, Hradčany, Petřín, à la limite les jardins Rieger ; il ne connaît vraisemblablement Vyšehrad que par les légendes anciennes qui s'y rattachent, et s'il a entendu parler des Fournils juifs, c'est à travers des histoires pour le moins sordides. Il faut circuler avec la passion du chercheur sur le pourtour même de Prague, de Podoli à Vysočany et de Šárka à Hlubočepy et Zlíchov, pour pouvoir palper, effaré et émerveillé, le relief de la ville. Vous trouverez des montagnes inconnues, des collines, des langues de terre, des tertres et des buttes, des escarpements, des versants et des coteaux pour les amours miséreuses, des vallons, des ravins, des fosses, des vallées, des précipices, des affaissements de terrain, des rochers et des excavations, des broussailles et des lacs ; vous découvrirez un terrain à la fois laid et étonnamment attirant, vous n'en reviendrez pas en découvrant jusqu'où s'est insinuée cette Libuše, avec sa manie de la fondation, et en songeant à ces gens qui n'ont pas réussi à construire la plus belle ville du monde sur ce sol accidenté. Vous trouverez des champs et des jardins maraîchers au milieu de la ville ; vous verrez apparaître le désert et la steppe au pied des rues ; vous vous arrêterez près d'un coteau où broutent des chèvres et vous assiérez au bord d'un champ, sur un sentier où aucun arbre ne ménage un coin d'ombre aux amoureux. C'est une contrée singulière, pauvre et dans un état d'abandon hors du commun ; un bout de terre qui s'accroît et confine à une laideur aussi terrible qu'elle peut être sévère et grande, parfois.

On ne peut le dire autrement : la ville se propage comme la lèpre ou quelque autre mal hideux ; à mesure qu'elle s'étend, elle étale sa laideur, sa saleté, ses dépotoirs, sa désorganisation, toujours plus avant sur ses contours ; elle brûle la végétation et arase la terre ; si la terre pouvait crier, on entendrait tout autour de nous, dans le silence de la nuit, son rugissement éreinté. Ce qui, voilà un an, était un champ vert et paisible, se transforme en terre aride, crevassée, envahie par les mauvaises herbes et les ordures ; le coteau de verdure, desséché et durci, devient un ravin d'argile dénudée ; le sol est une boue suppurante, s'effrite, n'est plus que glaise et éboulis. Les débris, les tôles rouillées et l'indicible saleté avancent toujours plus ; chaque jour, de nouveaux versants sont entamés, de nouvelles vallées absorbées. La ville mène des offensives contre ses abords ; elle s'implante sur un coteau en y installant quelques maisonnettes qu'elle établit là, en avant-postes, avant de se jeter sur le versant suivant, laissant derrière elle terre morte et champ d'ordures. Elle a disposé ses avant-postes au-dessus de Motol, de Michle, de Bohdalec, de Žižkov, partout où se trouvaient des plateaux et des versants vierges. Ce qui pousse n'est pas une ville ; ce sont des solitudes en friche, et avec elles, s'élargit cette zone de terre déserte, désemparée, ensauvagée, qui se nomme la périphérie. [...]

Nouvelles pragoises,
traduit par Marlène Laruelle,
édition établie et présentée par Catherine Servant
© L'esprit des Péninsules, 1999

Prague à l'heure du poétisme

Cet article qui a paru dans les colonnes de *Lidové noviny* le 18 avril 1926 est un des nombreux essais qu'il consacre à Prague. Ils ont pour la plupart été repris dans le recueil intitulé *Obrázy z domova* en 1953. Avec sa verve habituelle et sa manière de déplacer avec malice les perspectives traditionnelles de la littérature, il compare Prague à Rome, ce qui lui donne le prétexte de parler des collines qui composent la géographie singulière de cette ville et ses paysages qui n'ont pas leur pareil.

JAROSLAV SEIFERT

La rupture des glaces

*Jaroslav Seifert est né à Zizkov dans les faubourgs de Prague
en 1901. Incapable d'obtenir son baccalauréat, il trouve un
travail de rédacteur aux Éditions Communistes en 1920.
L'année suivante paraît son premier recueil de poèmes,* La
Ville en larmes. *Il participe à la fondation du groupe* Devetsil *(nom qui signifie les Neuf Forces en plus d'être le nom
d'une fleur). Proche de Nezval, de Jirí Wolker, de Karel
Teige, de Konstantin Biebl, il commence son aventure littéraire dans les cercles de la poésie prolétarienne puis collabore
aux revues d'avant-garde comme* Zivot. *Il publie* Rien que
l'amour *en 1923. En 1924, il est parmi les principaux fondateurs du poétisme. Ripellino déclare à son propos : « Touché par une ironie très légère et d'un sensualisme nostalgique,
l'art de Seifert pendant la période poétiste a son humeur de
fable pastorale et de ballet rococo. Chinoiseries de porcelaine, jeux de masque et d'éventail, exotismes "tropicaux" à
la Douanier Rousseau, formes de carton se conjuguent dans
ces petits tableaux dominicaux d'une éclatante vivacité chro-
matique, semblables alors à des cartes postales illustrées des
vieux magasins de province, ou de toiles peintes chez les
vieux photographes. » Entre 1937 et 1945, il écrit* Éteignez
les lumières. *Après la guerre, il publie de très nombreux
recueils –* Un casque de terre *(1945),* La Main et la Flamme
(1948), La Flamme *(1948),* Maman *(1954),* Prague *(1956). Il
tombe alors malade et cesse d'écrire pendant environ dix ans.
En 1974, il publie* Le Parapluie de Picadilly, *et en 1981 ses*

mémoires, Toutes les beautés du monde, souvenirs et histoires vécues. *Il reçoit le prix Nobel en 1984. Il décède deux ans plus tard.*

[...] Au cours d'un printemps, une brusque crue imprévue avait libéré les glaces de la Berounka bien plus tôt que sur les autres rivières, de sorte qu'une gigantesque barrière de glace s'était formée du côté de Modřany, au sud de Prague. Afin d'écarter tout risque d'inondation dans la capitale, la troupe dut intervenir en faisant sauter l'embâcle à la grenade. On entendait ces détonations jusqu'à Prague où, à cette occasion, il y eut plein de badauds sur les ponts.

Moi aussi, je m'étais glissé parmi les curieux pour regarder du haut d'un pont la patinoire abandonnée que je venais de fréquenter presque quotidiennement cet hiver-là. Parfois en compagnie d'une charmante jeune fille qui portait une jolie coiffure quelque peu désuète, deux macarons châtains sur les oreilles. Elle faisait confiance à mon art très discutable de patineur et nous tournions donc inlassablement, la main dans la main, autour de la vaste patinoire. La neige balayée de côté y faisait office de clôture, dans laquelle on avait fiché, aux quatre coins, des sapins de Noël garnis de guirlandes en papier multicolore.

Sur le long banc où l'on s'asseyait pour chausser nos patins était posé un vieux gramophone, muni d'un énorme pavillon bleu ciel.

Un peu à l'écart se trouvait une baraque où, à côté de la caisse d'entrée, on pouvait boire du thé pour une somme très modique.

Tout cela avait été enlevé depuis quelques jours déjà,

et seuls les quatre sapins abandonnés restaient encore fichés dans la neige fondante.

Peu de temps après les détonations, les premières vagues déferlaient déjà et, aussitôt, la plaque de glace recouvrant la rivière vola en éclats, avec grondements et fracas. Spectacle formidable! Les quatre sapins tombés à l'eau furent rapidement entraînés par le courant, au milieu des blocs de glace qui se bousculaient dans une sorte de course de vitesse, se redressant par moments sur leur arête. Avec eux s'en allait pour moi tout le reste. Le charme de ces moments fugitifs où je sentais intensément la présence d'une jolie fille, le plaisir aussi de tournoyer avec elle sur la glace en croisant les jambes avec élégance – du moins ce que je croyais. D'ailleurs à cette époque, le patinage artistique en était encore à ses balbutiements. Et maintenant, cet intrus de courant trouble emportait quelque part au loin à la fois les mesures et les paroles enjôleuses du beau tango anglais *Thank you, so blue.* Tout cela était sur le point de disparaître irrémédiablement et, parce que cela avait été si beau, je le suivais d'un regard plein de tristesse. Avec ces glaçons flottants, je perdais aussi la demoiselle en question, juste au moment où j'étais prêt à tomber amoureux d'elle. Après de longues hésitations, elle m'avait enfin dit son prénom. Elle m'avait indiqué qu'elle habitait le quartier de Hradčany, sans préciser où. Elle m'avait laissé entendre qu'elle fréquentait un lycée, sans dire lequel. J'avais la permission de l'accompagner jusqu'à Klárov où, avec un sourire, elle sautait dans le tram et je ne la retrouvais qu'au bout de quelques jours, au milieu de la foule tournoyant sur la rivière gelée. Par crainte de sa mère, qui la tenait très strictement et qui lui aurait sûrement interdit de retourner à la patinoire, elle avait frémi devant ma proposition insensée de venir l'attendre en bas de chez elle. J'étais néanmoins convaincu que, bientôt, j'y arriverais quand même. À mon avis, cela ne demandait qu'un peu de patience, et j'en avais à revendre. J'aurais certainement su dénouer ces macarons vieillots sur ses oreilles et rectifier quelque peu les résultats de l'éducation maternelle. Hélas, la glace n'avait pas tenu assez longtemps et le printemps frappait déjà à la porte. Piètre patineur, j'étais en revanche assez beau parleur, si bien qu'avec le temps mon éloquence eût sans aucun doute fait de l'effet sur la jeune fille. Or, comme je viens de le révéler, le printemps m'avait pris de vitesse.

Les eaux printanières avaient donc emporté ma jeune fille. Dommage !

Toutes les beautés du monde,
traduit du tchèque par Milena Braud,
© Belfond, 1991

Dans ce passage de ses mémoires, Seifert relate une vision de la fin de l'hiver pendant son enfance, avant la Grande Guerre. Plus que tous les créateurs du groupe *Devetsil* et du poétisme pendant les années vingt et par la suite, Seifert a chanté inlassablement la grandeur esthétique de Prague, dans sa magnificence comme dans les aspects les plus simples de la vie quotidienne. En un certain sens, dans ses poèmes comme dans ses superbes souvenirs, il a engrangé des réminiscences subtiles et évanescentes qui évoquent une ville tendant vers la modernité sans renier rien de son passé chargé de mille mélancolies.

VITEZSLAV NEZVAL

Le passant de Prague

Né en 1900 à Biskoupy, en Moravie, Nezval est le fils d'un couple d'instituteurs. Après ses études secondaires, il entre en 1919 à la faculté de droit à Brno puis, un an plus tard, il suit les cours de littérature à l'université Charles de Prague. Il publie son premier livre de poésie, Le Pont, *en 1922, et est l'un des principaux créateurs du groupe* Devetsil. *Il commence à écrire pour le théâtre d'avant-garde et traduit Arthur Rimbaud. Deux ans plus tard, il achève* La Pantomime, *recueil qui offre les fondements du poétisme dont il est le fondateur avec Karel Teige, met fin à ses études et adhère au parti communiste. Il écrit de nombreux recueils poétiques, dont* Poèmes pour cartes postales, Inscriptions tombales *et* Carnaval *(1926),* Acrobate *(1927),* Edison *(1928). En 1930, il publie* Poèmes de la nuit. *Il écrit aussi des œuvres romanesques :* Chronique de la fin du millénaire *(1929),* Acharnement *(1930),* Dolce far niente *(1931),* Comme deux gouttes d'eau *(1933). Il se rend à Paris en 1922 et raconte sa rencontre avec Breton et les surréalistes dans* Rue Gît-le-Cœur. *Deux ans plus tard, il publie une anthologie surréaliste. Il compose d'autres poèmes, dont* Prague aux doigts de pluie *(1936). En 1938, il décide de dissoudre le groupe surréaliste. Pendant l'Occupation, il se consacre au théâtre. Après la Libération il publie le roman* Valérie et la semaine des merveilles, *écrit en 1935. Il est nommé en 1945 directeur du département de l'Art cinématographique où il travaille jusqu'en 1951. Il continue à produire de nombreux poèmes et écrit une dernière pièce en 1956,* Le Soleil se couche encore ce soir sur l'Atlantide. *Après avoir mis la dernière main à* Ma Vie, *il s'éteint en 1958.*

Non, je ne monterai pas la colline de Petrin pour revoir d'en haut « le troupeau des ponts », la Vltava sur ses deux rives, les toits de la Vieille et de la Nouvelle Ville, les palais de Malá Strana. Je ne prendrai pas le bac à Troja pour grimper à la maisonnette sur la colline dont je fus pendant trois ans le prisonnier, pour pouvoir contempler Prague, par-dessus les aubépines, au moment où toutes les femmes font leur lit et où un premier copeau est allumé dans leurs fours. Je ne partirai pas d'ici pour monter plus haut, vers la ville des malades mentaux où j'apercevrais sa tour inattendue à la lumière du couchant, tel un fantôme planant sur le désarroi d'un dimanche de février. Je ne prendrai pas la route de Kobylisy pour saluer, le cœur troublé et attendri, la seule petite fenêtre allumée, la seule, presque toujours la seule, derrière laquelle se trouvent quelques-uns de mes livres et la femme qui m'attend chaque jour.

Je ne ferai pas non plus ma promenade habituelle au crépuscule, avec elle, dans les jardins de Troja où les cerisiers sont en fleur, je ne prendrai pas son bras pour traverser, un soir de la Saint-Sylvestre, dans une tourmente de neige, si triste et miraculeuse, le nouveau pont à la rencontre de la ville qui vient de s'allumer, d'un bar où trottera un petit cochon. Je ne partirai pas de là-bas, le soir, vers l'abattoir pour me laisser surprendre par la lumière des réverbères et par la proximité d'une ville étrangère qui m'est inconnue.

Je n'irai pas dans le parc de Stromovka, ni le matin, pour y rencontrer deux ou trois piétons, ni l'après-midi, pour lire *Feuilles d'herbe* de Whitman, ni d'autres après-midi encore plus anciens où j'y trouvais mon refuge, en rentrant du bureau, afin de lire, contre les roses à la tombée du jour et à une distance suffisamment grande de l'orchestre jouant *Manon Lescaut* ou *La Lampe magique d'Aladin*.

Je ne monterai pas plus haut, sur la colline, faire l'amour à une de celles que j'ai perdues de vue pour de bon, au son de la marche qui accompagne un proche cortège funèbre. Je ne prendrai pas un tramway bondé avec la même Disparue, investi de la gaie certitude que Jiri Wolker m'attend dans un petit bistrot de Smichov.

Je n'irai pas dans le jardin Kinski chercher un baiser, encore moins lui résister, saluer la matinée des oiseaux, rentrer de n'importe où. Je n'entrerai pas chez un charcutier de Smichov avec la faim dévorante de l'éternel étudiant, ni dans cette agréable chambre par la fenêtre de laquelle je montai annoncer à un ami que j'étais amoureux à l'écoute du *Chant des enfants morts* de Mahler, dans cette chambre au rez-de-chaussée où j'improvisai à quatre mains avec Jiri Wolker – et où, un jour, je reçus la visite d'un ange.

Je ne retournerai pas, la nuit, dans la rue Celna pour annoncer, dans la chambre située au-dessus de la mienne, à un ami dadaïste que Josef Kolinsky venait d'être exécuté. Je ne me tiendrai pas, excité, devant la porte de la femme qui dort, la chemise retroussée, je n'y attendrai pas non plus celle avec laquelle je voulus mourir. Je n'attendrai pas, non loin de là, près d'un hôtel, mon malheur bien-aimé pour y aller boire, plus tard, un verre de griotte ou de vin doux de Graves qu'aujourd'hui encore je ne peux goûter sans avoir le cœur serré.

Je n'irai pas à la rencontre d'autres endroits de triste plaisir, contempler avec André Breton le papillon dans son cocon de boule de cristal. À l'auberge près de la gare de Smichov, je n'écouterai pas la déclaration de celle qui n'avait pas d'autre choix que la mort. Je ne m'embarquerai pas, le cœur attendri, sur le *Maire Dittrich* pour voguer vers Zbraslav, un dimanche matin de printemps, je ne me pencherai pas sur ce paquebot où personne ne m'attend.

Je n'irai pas de pont en pont le jour des adieux à la Chimère, je n'entrerai pas avec elle dans une boîte obscure où l'ambiance est triste à pleurer, je ne poursuivrai pas non plus les fantômes de femmes dans la rue Rybna, je n'entrerai pas avec elles dans des chambres où elles se défont de leurs seins.

Je n'accompagnerai pas André Breton et sa femme vers l'hôtel Paris. Je ne mettrai pas les pieds avec lui et Paul Eluard dans une cave place de la Vieille-Ville. Je ne tomberai pas amoureux, à la tombée du jour au commencement du printemps, dans la cour du Clementinum. Accompagnant mon amour au sortir de mon lit, je ne verrai pas la rue Salvatorska pour avoir l'illusion, devant la boutique d'un glacier, d'être en Italie.

Je n'aurai pas le mal d'amour, je ne souffrirai pas de son évasion à l'auberge des flotteurs de bois près du pont Stefanikuv most. Je n'éprouverai pas de joie en contemplant, tel était mon rêve, l'hôtel Bavaria où descendit Guillaume Apollinaire. Accompagné de Jiri Wolker et de Konstantin Biebl, je n'entrerai pas chez Lefler, à proximité de la place de Malá Strana, où le poète vit la danse de « l'Hérétique » du Juif éternel.

Je ne saluerai pas Jiri Karasek ze Lvovic au *Malos-transka kavarna*, ni à la taverne *U Holubu,* je ne regar-derai pas impatiemment la pendule, désireux de voir entrer celle qui, jadis, était le sens de ma vie. Je n'entre-rai ni au Napoléon, ni au *Zborenec*, ni ailleurs, pour y chercher en vain un rêve sensuel, excentrique.

Je ne vivrai pas avec ma valise à Karlin dans une chambre de macchabée et je n'y lirai pas *Bubu de Mont-parnasse.* Ni sous les coteaux de Vinohrady où, chaque jour, ma logeuse me surprendrait dans un moment de bonheur suprême. Ni à Kosire, dans une petite pièce à l'aquarium à cause duquel je serai chaque jour réveillé, nu, par toute la famille nombreuse du logeur. Ni dans les deux maisons malheureuses de la rue Moravska. Ni dans la vallée de Nusle, face au ruisseau Botic et à la tristesse éternelle. Ni dans la rue Sokolska où mon amour m'apprendrait à compter les heures à rebours ! Ni à Troja, ni à Stresovice, face au jardin du couvent où les religieuses ramassent leur linge sec, ou du bois mort.

Je n'irai pas, ou j'irai partout, et encore à mille autres endroits éclairés par la triste ou l'heureuse lumière de ma vie, de mon destin, de mes amours, de mon déses-poir et de mon espérance. Mais je n'irai pas dire adieu, car j'ai peur, j'ai horreur des adieux. Jamais mourant, je ne voudrais faire d'adieux.

Je souhaite plutôt dissiper mon angoisse et saluer telle ou telle étoile du matin, comme je te salue Toi que j'attends. Et même si j'attends en vain, même si tu ne viens pas, même si ton adieu peu symbolique que l'habi-tude nous oblige à dire était un oracle, je veux te saluer, je veux te saluer pour tout, au nom de tous ceux pour qui j'ai quitté la maison à des heures inhabituelles afin de voir une harmonie nouvelle, touchante et visible, composée d'images, de circonstances inattendues. Je veux te saluer pour tous ceux pour qui j'ai abandonné mes pensées, mes habitudes afin d'apprendre les petites modifications, ces petites modifications miraculeuses où demeure la poésie.

Pour tous mes amours et la ville de Prague que je traversais avec leurs lampes, leurs yeux errants, leur entrain ou leur ennui, leurs escarpins.

Et si notre rencontre – dont le hasard me fit don – ne devait servir à rien d'autre qu'au renouvellement d'un brin de volupté ou de nostalgie, il faut que ce soit avec toi, pour qui j'ai vécu quelques minutes, quelques heures, une vie plus excitée que sans toi, pour qui mes pas sont devenus plus errants, mes paroles plus chaleureuses, mon attente plus tendue, que sans toi.

Cependant, si tu viens, ne le fais ni pour rester, ni pour que nous fassions nos adieux. Car – et je le sais, je le sens, je le veux – lorsqu'un dernier mot sera couché derrière ce livre, tu me verras sortir de là pour monter ou descendre des rues où le hasard nous réunira ou nous séparera à nouveau – où, sans dire un mot, je suis et je reste pour toujours un passant de Prague.

Le passant de Prague, 1938,
traduit du tchèque par
Tomanova et Suzanne Bartosek

Quand il écrit *Le passant de Prague* en 1938, Nezval pastiche volontairement le titre de la nouvelle de Guillaume Apollinaire que le poète a écrite après avoir visité Prague en 1902, ce dernier ayant été le véritable inspirateur de la poésie moderne tchèque avec « *Zone* ».

Il y raconte ses longues promenades dans les rues de ce qu'il appelle la « ville des merveilles ». Comme s'il avait eu le pressentiment du terrible coup du destin qui allait la frapper l'année suivante. Dans ce grand poème en prose (et parfois en vers) il dresse une topographie sentimentale et esthétique de cette Prague qu'il aime tant et qui lui a fourni tant de sources d'inspiration.

LA PRAGUE DE LA DÉSILLUSION

BOHUMIL HRABAL

Pérégrinations hivernales

*Né à Brno en 1914, il passe l'essentiel de son enfance dans
une petite bourgade de Bohême, Nymburk, où son père était
gérant de brasserie. En 1939, il commence ses études de droit
à Prague qu'il n'achève qu'en 1946 à cause de l'occupation
allemande. Il exerce ensuite de nombreux métiers. Il écrit
pendant toute cette période. En 1963, son premier livre
paraît :* Une perle dans le fond. *Il connaît un certain succès et
publie deux ans plus tard* Vends maison où je ne peux plus
vivre. *Bientôt il ne peut plus publier et* Moi qui ai servi le roi
d'Angleterre, *écrit en 1971, ne sort qu'en dehors de son pays,
tout comme* La petite ville où le temps s'arrêta, *en 1973.
L'année suivante, quand sortent en Europe de l'Ouest les tra-
ductions de* Les Palabreurs, *Claudio Magris écrit : « Aller-
gique au paternalisme bureaucratique de son pays, Hrabal
oppose à la tyrannie croissante et à la planification générali-
sée de l'existence, la fougue de la fantaisie et les espaces d'un
imaginaire grotesque, le goût provocant de la facétie et de la
fanfaronnade, le sentiment fugitif de l'irréalité quotidienne. »
Auteur d'œuvres mémorables comme* Une trop bruyante solitude, Trains étroitement surveillés *et* Les Noces dans la maison.*

[...] Tournant dans notre cour, j'entendis ma presse
mécanique qui sonnait joyeusement comme les grelots
d'un traîneau qui file dans la neige, emportant une noce
ivre ; je ne pus continuer, ne pus aller plus loin, même

pas revoir ma presse ; faisant volte-face, je me retrouvai
sur le trottoir, aveuglé de soleil. Je restai là, perdu sans
savoir où me diriger ; pas une seule phrase des livres qui
avaient eu ma foi ne me venait en aide dans ce naufrage,
dans la tempête qui me secouait ; je m'effondrai sur le
prie-Dieu de Saint-Thadée et, me couvrant la tête de mes
mains, je sombrai dans le sommeil... Peut-être rêvais-je
seulement, ou bien étais-je devenu fou sous l'affront
éprouvé dans tout mon être ? En m'écrasant les pau-
pières de mes paumes, je vis soudain ma presse : elle
était devenue la plus énorme de toutes les presses
géantes, elle était si grande qu'elle menaçait toute la ville
de sa gueule ; j'appuyai sur le bouton vert, elle se mit en
mouvement. Devant ses parois, aussi hautes qu'un bar-
rage de centrale hydraulique, les premiers immeubles
s'écroulaient, emportant tout sur leur chemin, comme
les souris qui autrefois se jetaient dans ma presse. Alors
qu'au centre de la ville la vie suivait encore ses rails
habituels, à la périphérie les mâchoires gigantesques de
ma presse exerçaient déjà leurs ravages, écrasaient,
détruisaient, rejetaient devant elles tout ce qui pouvait
leur barrer la route... Je vois, je vois les stades, les
églises, les bâtiments publics, je vois les rues, les ruelles,
tout se tord et s'écroule, rien, pas même une souris, ne
peut échapper à cette presse d'Apocalypse, le Château
puis la coupole qui couronne le Musée national s'effon-
drent, l'eau monte dans la rivière – rien ne résiste à cette
presse à la force terrible, tout plie devant elle, aussi
docile que le vieux papier des caves de ma cour. Je vois,
le rythme s'accélère maintenant, les parois du géant
pressent devant elles tout ce qu'elles ont démoli, c'est le
tour de l'église de la Sainte-Trinité, je la vois se briser

sur moi, m'engloutir, je vois… Je ne vois plus ; aplati, pressuré par les briques, les poutres et le prie-Dieu, je n'entends plus que les craquements des tramways et des automobilistes, les parois monstrueuses se rapprochent, plus près, plus près encore, au milieu des décombres, il y a encore bien assez d'espace, encore bien assez d'air qui gicle et siffle maintenant, mêlé aux gémissements des hommes… Je vois, au milieu d'une plaine déserte, un énorme paquet carré, un cube d'au moins cinq cents mètres de côté, Prague tout entière pressée là avec moi, avec toutes mes pensées, les textes qui m'ont imprégné toute ma vie… Ma vie qui ne tient pas plus de place qu'une de ces petites souris que les deux brigadiers du travail socialiste écrabouillent là-bas dans mon souterrain… […]

Une trop bruyante solitude,
traduit du tchèque par Max Keller,
coll. « Pavillons, domaine de l'Est »,
© Robert Laffont, 1983

IVAN KLIMA

Le centre de Prague

Ivan Klima est né à Prague le 14 septembre 1931. D'origine juive, il passe une partie de son enfance au camp de Terezín pendant l'occupation allemande. Après guerre, il passe un certain temps dans les goulags staliniens. Il devient journaliste et travaille au journal Kvety *puis, à partir de 1959, pour une maison d'édition. En 1963, il est adjoint à la rédaction en chef du* Literáni Noviny. *Entre 1969 et 1970, il enseigne aux États-Unis. À son retour, il doit abandonner toute responsabilité dans le monde des lettres et exercer des métiers dégradants. Il est interdit de publication.* Amants d'un jour, amants d'une nuit *est pilonné en 1970. En 1989, il participe à la création de la Communauté des écrivains. Il a publié une version nouvelle de son importante monographie sur Karel Capek, qu'il avait achevée en 1963.*

Je me suis souvent demandé quel était le centre symbolique de Prague. Le château ? La place de la Vieille-Ville ? La place Venceslas ? Le château, sujet le plus courant des cartes postales, et des artistes, symbolise pour moi autre chose. La place Venceslas, où un marché s'est tenu jusqu'au dix-neuvième siècle, n'a pas de lien intime avec le devenir historique de la ville. Et la place de la Vieille-Ville ? Certes, elle porte tout le poids de l'histoire tchèque.

Depuis près de quatre siècles, elle reste marquée par l'ignominieuse exécution publique, en 1621, de vingt-sept nobles, bourgeois et chefs spirituels tchèques. Elle est devenue un symbole de l'humiliation, de la duplicité humaine, de la capacité d'adaptation et de l'inconstance du peuple de Prague. Les célébrations se sont constamment succédé en ce lieu pour honorer les dirigeants du moment, aimés – ou non, cas le plus courant –, et il s'est toujours trouvé assez de monde pour y rassembler une foule qui vienne rendre hommage, poussée par l'intérêt, ou par la peur.

Non, pour moi, le centre physique et spirituel de la ville est un pont, un pont vieux de presque sept cents ans, qui relie l'ouest à l'est de la ville. Le pont Charles est l'emblème même de la place qu'occupe la ville en Europe, ce continent dont les deux moitiés se sont cherchées si longtemps – en tout cas depuis que l'on a jeté les fondations du pont. L'Ouest et l'Est. Deux rameaux d'une même culture, mais représentants de deux traditions différentes, de tribus différentes des peuples européens.

Il représente aussi l'invulnérabilité propre à la ville, sa capacité à se relever de tous les désastres. Pendant des siècles, il a résisté aux crues qui ont régulièrement assailli Prague. Une seule fois, il y a deux siècles, il en a souffert : deux de ses arches se sont écroulées, entraînant les piétons qui traversaient dans les tourbillons du fleuve en crue. Mais on a vite réparé les dégâts, et aujourd'hui les Pragois ne savent plus rien d'un événement que les chroniqueurs de l'époque ont considéré comme un des plus grands malheurs qui se soient jamais abattus sur la ville.

La langue que l'on parle à Prague est tout aussi dénuée d'effets. Elle est savoureusement dialectale, et, contrairement au russe, par exemple, elle ne prise guère le trémolo. Un écrivain tchèque d'aujourd'hui hésiterait à écrire que sa ville est « magique », voire « mystique » ; il hésiterait même à le penser.

[...] Paradoxe, encore, le bâtiment qui domine toute la ville : le château de Prague, une des plus vastes forteresses d'Europe centrale (pour l'essentiel, le plan en a été tracé avant l'ère des grandes défaites), immense château qui a connu sa dernière grande campagne de restauration à une époque où le souverain n'y résidait plus guère. C'est aujourd'hui la résidence des présidents, dont le destin répond bien à celui de la ville d'où ils exerçaient leur pouvoir : sur les neuf derniers, quatre ont passé plus de trois ans en prison, un cinquième a été enfermé pour une plus brève période, un autre (peut-être vaudrait-il mieux l'oublier, celui-là, car son mandat a coïncidé assez exactement avec la période de l'occupation nazie) est mort en prison, et les trois derniers n'ont échappé à la prison ou à l'exécution qu'en fuyant leur pays. Étrange et paradoxal, ce lien entre prison et château royal !

Peut-être fallait-il une ville aussi paradoxale pour donner le jour, à quelques semaines de distance, à deux écrivains, profondément différents, mais tous deux géniaux. L'un était juif, exclusivement germanophone dans ses écrits, végétarien, antialcoolique, enfermé dans son ascétisme, si obsédé par la conscience de sa responsabilité, de sa mission d'écrivain, de ses fautes et de ses faiblesses, qu'il n'a osé publier la plus grande partie de son œuvre de son vivant. L'autre était un poivrot anarchiste et bon vivant, un extraverti qui tournait en dérision sa profession comme ses responsabilités, qui écrivait dans les cafés et vendait aussitôt sa prose contre quelques chopes de bière. Franz Kafka et Jaroslav Hasek, l'auteur du *Brave Soldat Svejk,* ont vécu leurs courtes vies – l'un et l'autre sont morts prématurément, à moins d'un an de distance – à quelques rues l'un de l'autre. Tous deux se sont inspirés de la même période pour écrire leurs chefs-d'œuvre, et pourtant leurs livres respectifs nous paraissent séparés non seulement par des siècles, mais même des continents. Depuis lors, les Pragois ont pris l'habitude de dire *Kafkarna* pour décrire les absurdités propres à leur existence ; et à leur propre aptitude à se moquer de ces absurdités, à opposer à la violence leur humour et leur résistance passive, ils ont donné un nom : *Svejkovina.* […]

Esprit de Prague,
traduit de l'anglais par Béatrice Dunner,
© Éditions du Rocher, 2002

MILAN KUNDERA

La ville du mal

Milan Kundera est né en 1929. Il publie ses premiers livres,
La Plaisanterie *et* Risibles amours, *pendant la période de
dégel du début des années soixante. Après l'invasion des
forces du Pacte de Varsovie en août 1968, il ne peut plus rien
publier et doit quitter son poste de professeur à l'École des
Hautes Études Cinématographiques. Il écrit* La Vie est
ailleurs *et* La Valse des adieux, *qui demeurent inédits. Il
quitte la Tchécoslovaquie en 1975 et enseigne à l'université
de Rennes. A partir de 1980, il mène une activité critique
dans différentes revues, dirige un séminaire à l'École Pratique
des Hautes Études à Paris et obtient la nationalité française
l'année suivante. Il continue à écrire en tchèque trois œuvres
de fiction :* Le Livre du rire et de l'oubli, L'insoutenable légèreté de l'être *et* L'Immortalité. *Depuis lors, il écrit tous ses
ouvrages en français (*La Lenteur, *1995,* L'Identité, *1998,*
L'Ignorance, *2003).*

En février 1948, le dirigeant communiste Klement
Gottwald se mit au balcon d'un palais baroque de
Prague pour haranguer les centaines de milliers de
citoyens massés sur la place de la Vieille-Ville. Ce fut un
grand tournant dans l'histoire de la Bohème. Il neigeait,
il faisait froid et Gottwald était nu-tête. Clementis, plein
de sollicitude, a enlevé sa toque de fourrure et l'a posée
sur la tête de Gottwald.

Ni Gottwald ni Clementis ne savaient que Franz

Kafka avait emprunté chaque jour pendant huit ans l'escalier par lequel ils venaient de monter au balcon historique, car sous l'Autriche-Hongrie ce palais abritait un lycée allemand. Ils ne savaient pas non plus qu'au rez-de-chaussée du même édifice, le père de Franz, Herrmann Kafka, avait une boutique dont l'enseigne montrait un choucas peint à côté de son nom, parce qu'en tchèque Kafka signifie choucas.

Si Gottwald, Clementis et tous les autres ignoraient tout de Kafka, Kafka connaissait leur ignorance. Prague, dans son roman, est une ville sans mémoire. Cette ville-là a même oublié comment elle se nomme. Personne là-bas ne se rappelle et ne se remémore rien, même Joseph K. semble ne rien savoir de sa vie d'avant. Nulle chanson là-bas ne se peut entendre qui nous remettrait en mémoire l'instant de sa naissance en rattachant le présent au passé.

Le temps du roman de Kafka est le temps d'une humanité qui a perdu la continuité avec l'humanité, d'une humanité qui ne sait plus rien et ne se rappelle plus rien et habite dans des villes qui n'ont pas de nom et dont les rues sont des rues sans nom ou portent un autre nom qu'hier, parce que le nom est une continuité avec le passé et que les gens qui n'ont pas de passé sont des gens sans nom.

Prague, comme disait Max Brod, est la ville du mal. Quand les Jésuites, après la défaite de la Réforme tchèque en 1621, tentèrent de rééduquer le peuple en lui inculquant la vraie foi catholique, ils submergèrent Prague sous la splendeur des cathédrales baroques. Ces milliers de saints pétrifiés qui vous regardent de toutes parts, et vous menacent, vous épient, vous hypnotisent, c'est l'armée frénétique des occupants qui a envahi la Bohême il y a trois cent cinquante ans pour arracher de l'âme du peuple sa foi et sa langue.

La rue où est née Tamina s'appelait rue Schwerinova. C'était pendant la guerre et Prague était occupée par les Allemands. Son père est né avenue Tchernokostelecka – avenue de l'Église-Noire. C'était sous l'Autriche-Hongrie. Sa mère s'est installée chez son père avenue du Maréchal-Foch. C'était après la guerre de 14-18. Tamina a passé son enfance avenue Staline et c'est avenue de Vinohrady que son mari l'a cherchée pour la conduire à son nouveau foyer. Pourtant, c'était toujours la même rue, mais son nom changeait sans cesse, on lui lavait le cerveau pour la rendre idiote.

Dans les rues qui ne savent pas comment elles se nomment rôdent les spectres des monuments renversés. Renversés par la Réforme tchèque, renversés par la contre-réforme autrichienne, renversés par la République tchécoslovaque, renversés par les communistes ; même les statues de Staline ont été renversées. À la place de tous ces monuments détruits des statues de Lénine poussent aujourd'hui dans toute la Bohême par milliers, elles poussent là-bas comme l'herbe sur les ruines, comme les fleurs mélancoliques de l'oubli.

L'insoutenable légèreté de l'être,
traduit du tchèque par François Kérel,
© Éditions Gallimard, 1984

BIBLIOGRAPHIE

CHOPIN Jules, *Veillées de Bohême*, Éditions Bossard, 1927.

COSTER Léon de & COSTER Xavier de, *15 promenades dans Prague*, « Découvrir l'architecture des villes », Casterman, 1993.

GALMICHE Xavier, *Prague, Bohême, Moravie*, Jacques Damase Éditeur, 1989.

JELINEK H., Anthologie de la poésie tchèque, Kra, 1930.

KRAL Petr, *Prague*, « Des villes », éditions du Champ Vallon, 1987.

LÉGER Louis, *Prague*, « Les Villes d'art célèbres », H. Laurens Éditeur, 1907.

LEMAIRE Gérard-Georges, *L'Europe des cafés*, Éric Koehler, 1991.

LEMAIRE Gérard-Georges, POIVRE D'ARVOR Olivier, RUN-FOLA Patrizia, *Prague sur Seine*, Paris Tête d'Affiche, 1992.

LEMAIRE Gérard-Georges, *Les Cafés littéraires*, Éditions de la Différence, 1997.

LEMAIRE Gérard-Georges, *La Prague de Kafka*, Éditions du Chêne.

MARGOLIUS Ivan, *Prague*, Artemis, 1994.

REZNIKOV Stéphane, *Francophilie et identité tchèque (1848-1914)*, Honoré Champion, 2002.

RIPELLINO Angelo Maria, *Praga Magica*, traduit de l'italien par Jacques Michaut-Paterno, « Terres humaines », Plon, 1993.

RUNFOLA Patrizia, *Le Cercle de Prague*, traduit par Gérard-

Georges Lemaire, photographies d'Irina Ionesco, dessins de Marco Del Re, préface d'Olivier Poivre d'Arvor, Éditions Éric Koehler/Sand, 1992.

RUNFOLA Patrizia (sous la direction de), *Prague d'or, L'Ennemi*; Christian Bourgois éditeur, 1992-1993.

RUNFOLA Patrizia, *Le Palais de la mélancolie (le roman de Mucha)*, traduit de l'italien par Jean-François Bory, « Les Derniers Mots », Christian Bourgois éditeur, 1993.

RUNFOLA Patrizia, *Prague au temps de Kafka*, présenté et traduit de l'italien par Gérard-Georges Lemaire, « Les Essais », Éditions de la Différence, 2002.

SADEK Vladimir/SEDINOVA Jirina, photographies de MACHT Jiri, *Prazské Ghetto*, Olympia, Prague, 1991.

SERVANT Catherine, *Nouvelles pragoises*, L'Esprit des péninsules, 1999.

VILIMKOVA Milada, *Le Ghetto de Prague*, traduit par Françoise & Karel Tabery, Cercle d'Art/Aurore, 1990.

WAGENBACH Klaus, *La Prague de Kafka*, Éditions Michalon, 1996.

Guides

Prague, Éditions Gallimard
Prague, Éditions Autrement
Prague, Guide vert

Dans la même collection

1995

Andersen, Hans Christian, *Le compagnon de voyage*.
Arnim, Achim von, *Les héritiers du Majorat*.
Basile, Giambattista, *La chatte Cendrillonne*.
Cabrera, Lydia, *Bregantino Bregantin*.
Diderot, Denis, *Ceci n'est pas un conte*.
Hoffmann, E.T.A., *Conte véridique*.
Lubert, Mlle de, *La princesse Camion*.
Luzel, F.M., *Le chat noir*.
Walpole, Horace, *Contes hiéroglyphiques*.

1996

Deffand, Mme du, *À Horace Walpole*.
Genlis, Mme de, *De l'esprit des étiquettes de l'ancienne cour et des usages du monde de ce temps*.
Lespinasse, Julie de, *Mon ami je vous aime*.
Margrave de Bayreuth, La, *Une enfance à la cour de Prusse*.
Marie-Thérèse d'Autriche, *Madame ma chère fille*.
Roland, Mme, *Lettres à une amie d'enfance*.
Staal-Delaunay, Mme de, *Mémoires de jeunesse*.
Staël, Mme de, *Réflexions sur le procès de la reine par une femme*.
Tencin, Mme de, *Mémoires du comte de Comminge*.

Dumas, Alexandre, *À propos de l'art dramatique*.
Dumas, Alexandre, *Blanche de Beaulieu*.
Dumas, Alexandre, *Delacroix*.
Dumas, Alexandre, *Herminie*.
Dumas, Alexandre, *Histoire d'un lézard*.
Dumas, Alexandre, *L'invitation à la valse*.
Dumas, Alexandre, *Le pays natal*.
Dumas, Alexandre, *Lettres sur la cuisine à un prétendu gourmand napolitain*.
Dumas, Alexandre, *Mes infortunes de garde national*.

1997

Champfleury, *Le chien des musiciens*.

Fabre, Jean-Henri, *Sur le Ventoux. L'Ammophile hérissée*.

Loti, Pierre, *Vies de deux chattes*.

Michelet, Jules, *Le rossignol*.

Tolstoï, Léon, *Le cheval*.

Tourguéniev, Ivan, *Moumou*.

Brentano, Clemens, *Histoire du brave Gaspard et de la belle Annette*.

Grimm, Jacob et Wilhelm, *Les deux frères*.

Kleist, Heinrich von, *Le duel*.

La Motte-Fouqué, Frédéric de, *La Mandragore*.

Novalis, *Journal intime*.

Tieck, Ludwig, *La coupe d'or*.

Allais, Alphonse, *Le chambardoscope*.

Dubillard, Roland, *Si Camille me voyait…*

Fénéon, Félix, *Nouvelles en trois lignes*, t. 1.

Renard, Jules, *La lanterne sourde*.

Swift, Jonathan, *Instructions aux domestiques*.

Twain, Mark, *Le meurtre de Jules César en fait divers*.

1998

Dolto, Françoise, *Parler de la mort*.

Dolto, Françoise, *L'enfant dans la ville*.

Dolto, Françoise, *L'enfant et la fête*.

Capote, Truman, *L'invité d'un jour*.

Faulkner, William, *Évangeline*.

Hemingway, Ernest, *La grande rivière au cœur double*.

Recettes littéraires

    I. Hors-d'œuvre froids et chauds, potages.

    II. Œufs, pâtes, apprêts de légumes.

    III. Crustacés, poissons de rivière et de mer.

    IV. Gibiers, volailles, viandes.

    V. Pâtisseries, entremets, confiseries.

    VI. Cocktails, boissons chaudes et fraîches.

Fénéon, Félix, *Nouvelles en trois lignes*, t. 2.

Mac Orlan, Pierre, *Petit manuel du parfait aventurier*.

Mérimée, Prosper, *Le carrosse du Saint-Sacrement*.

Cortázar, Julio, *L'autoroute du Sud*.
Hearn, Lafcadio, *Kwaidan* ou *Histoires et études de choses étranges*.
Tanizaki, Junichirô, *Le pied de Fumiko*.

1999
Cros, Charles, *Grains de sel et autres poèmes*.
Rimbaud, Arthur, *Le lieu et la formule*.
Verlaine, Paul, *Filles, Femmes et autres chansons*.

Bataille, Georges, *Poèmes et nouvelles érotiques*.
Œuvres érotiques anonymes du XVIIIe siècle, *La Messaline française*.
Sade, D. A. F. de, *L'ogre Minski*.

Félibien, André, *Relation de la fête de Versailles*.
Louis XIV, *Manière de montrer les jardins de Versailles*.
Scudéry, Madeleine de, *Promenade de Versailles*.

Collectif, *Chirico/Vitrac*.
Collectif, *Picasso/Reverdy*.
Collectif, *Vlaminck/Carco*.

Belmont, Nicole, *Comment on fait peur aux enfants*.
Dolto, Françoise, *Jeu de poupées*.
Dolto, Françoise, *Le dandy, solitaire et singulier*.

Le vin des écrivains
   I. *Vins de France*.
   II. *Vins d'ailleurs*.
   III. *Alcools du Monde*.

2000
Bashkirtseff, Marie, *Journal*.
Cioran, *Cahier de Talamanca*.
Andreas-Salomé, Lou, *À l'école de Freud*.

Aragon, *Le Con d'Irène*.
Crébillon, *La Nuit et le Moment*.
Musset, Alfred de, *Gamiani ou Deux nuits d'excès*.

Collectif, *Hymnes au Masculin*.
Collectif, *Hymnes à la Terre-Mère*.
Roi Salomon, *Le Cantique des cantiques*.

2001

Grimm, *Lettres des Lumières*.
Catherine de Russie, *L'éloge du sang-froid*.
Lady M. W. Montagu, *L'Islam au cœur*.

Mme de La Fayette, *La Princesse de Montpensier*.
Mme Guyon, *Le Moyen court*.
La Grande Mademoiselle, *Mémoires*.

Cocteau, Jean, *Lettres à sa mère, 1906-1918*.
Dolto, Françoise, *Père et fille. Une correspondance, 1914-1938*.

Delerm, Philippe, *Monsieur Spitzweg s'échappe*.
Le Clézio, J. M. G., *Le jour où Beaumont fit connaissance avec sa douleur*.
Valdés, Zoé, *Ilam perdu*.

2002

Collectif, *Le goût de Lisbonne*.
Collectif, *Le goût de Venise*.
Collectif, *Le goût de Barcelone*.

Busnot, Dominique, *Histoire du règne de Moulay Ismaïl*.
Pidou de Saint-Olon, François, *État présent de l'empire de Maroc*.
Moüette, Germain, *Relation de captivité dans les royaumes de Fez et de Maroc*.

Rousseau, Jean-Jacques, *Lettres élémentaires sur la botanique*.
Thoreau, Henry David, *Journal (1837-1852)*.
Walpole, Horace, *Essai sur l'art des jardins modernes*.

Modiano, Patrick, *Éphémérides*.
Noguez, Dominique, *Saut à l'élastique dans le temps*.
Semprun, Jorge, *Les sandales*.

Calame-Griaule, Geneviève, *La parole du monde*.
Dolto, Françoise, *Kaspar Hauser, le séquestré au cœur pur*.
Dolto, Françoise, Lévy, Danielle Marie, *Parler juste aux enfants*.

Collectif, *Le goût de Bruxelles*.
Collectif, *Le goût de Palerme*.
Collectif, *Le goût de Séville*.

2003

Collectif, *Le goût d'Alexandrie.*
Collectif, *Le goût de Beyrouth.*
Collectif, *Le goût de Jérusalem.*

Briffault, Eugène, *Paris à table.*
Carême, Antonin, *Le pâtissier pittoresque.*
Grimod de La Reynière, *Almanach des gourmands.*

Réalisation Pao : Dominique Guillaumin

*Achevé d'imprimer
sur les presses de l'imprimerie Hérissey
en juin 2005.
Imprimé en France.*

*1ᵉʳ dépôt légal : mai 2003
Dépôt légal : juin 2005
N° d'imprimeur : 99481*